進撃の巨人

Before the fall

原作：諫《いさ》山《やま》 創《はじめ》

涼《りょう》

RES柴《しば》本《もと》

人類の叡智《えいち》は、巨人に立ち向かえるのか――

進撃の巨人

Before the fall

原作：諫山 創

著：涼風 涼

講談社ラノベ文庫

イラスト／THORES柴本
デザイン／RedRooster（下山隆）

CONTENTS

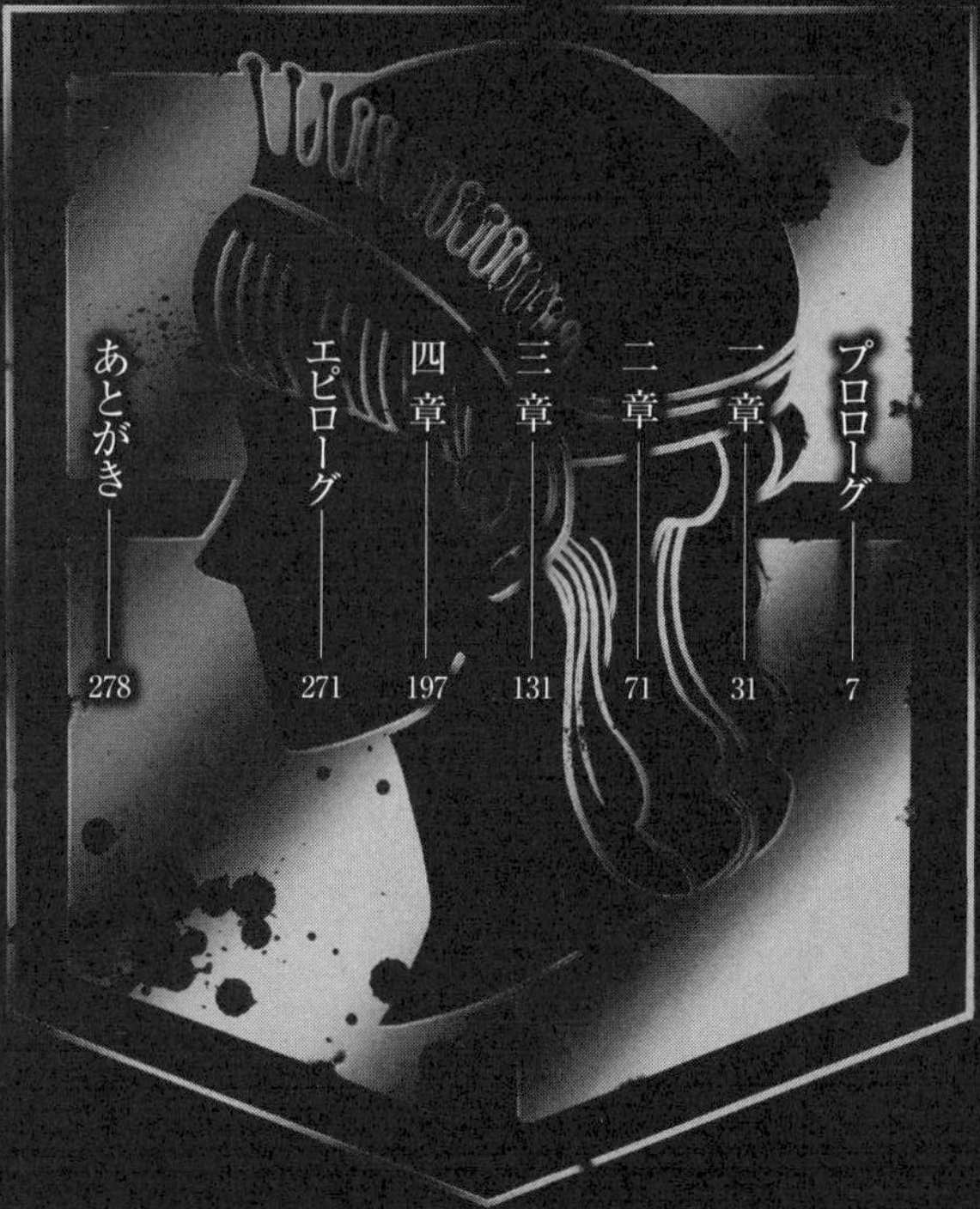

プロローグ

鈍色《にびいろ》の空に甲高い鐘の音《ね》が鳴り響いた。

解放の鐘《リバティ・ベル》――。

シガンシナ区の住人に親しまれている釣鐘《つりがね》の名である。

高さ五十メートルを誇《ほこ》る堅牢な壁《ウォール・マリア》の上に設置された青銅製の釣鐘は、街の象徴《シンボル》の一つだ。もともとは防災用の設備だが、幸運にも本来の役目を果たしたことは一度もない。

アンヘル・アールトネンは眩《まぶ》しくもないのに手をかざすと、断崖《だんがい》のごとくそびえ立つ『ウォール・マリア』を振り仰いだ。

ただでさえ巨大な建築物だが、間近にいるとそれが際立つ。壁は畏敬《いけい》の念すら抱いてしまうほどの圧倒的な存在感であり、それを神聖視する者さえいるほどである。祈るべき神が不在であるこの世界において、壁は心の拠《よ》り所《どころ》となりえる唯一の存在だった。

もっとも『ウォール・マリア』は信仰を目的として建造されたわけではない。壁《それ》が建てられた理由は明快だ。外敵から身を守るためである。つまり壁外には人類を脅かす脅威《きょうい》が存在しているというわけだ。巨大な壁を必要とするような恐ろしい化け物が。

「ま、いるかどうかも怪しいもんだが」

アンヘルは眉根《まゆね》を寄せ、細面《ほそおもて》の顔を微《かす》かに歪《ゆが》めると、寝癖のついた髪の毛ごと乱暴に頭をかいた。整髪すれば黄金《こがね》色に映えるその髪も、放任主義を貫いているせいかどうにも冴《さ》えない色合いだ。もっともそれは髪の毛に限った話ではない。工房に籠《こ》もって武具の開発に明け暮れているせいか顔色は悪く、同僚からは青瓢箪《あおびょうたん》と揶揄《やゆ》されるほどである。

一見、不健康で、そのような生活を送っているのも事実だが、意外にもアンヘルの体は逞《たくま》しい。作務衣《さむえ》の上からでもそれと分かるほどだ。職業柄、それと気づかぬうちに体が鍛えられているのだろう。体から漲《みなぎ》る生気は十八という年相応の男子のものである。

「もう少し壁が低けりゃな……」

「覗《のぞ》きもできるって？」

背後から聞こえてきた穏やかな声に、アンヘルは振り返ることなく苦笑いで応じた。

「隠されると覗きたくなるもんだ」

「それは男の性《さが》？」

「ただの好奇心」

アンヘルはつぶやくと、隣に並んだ女性の横顔をチラリとうかがった。

涼《りん》しげな顔で『ウォール・マリア』を見つめているのはマリア・カールステッドである。凛《りん》としたその立ち姿には一分《いちぶ》の隙《すき》もなく、それはみごとに着こなされた兵服からも明らかだ。土埃色《カーキ》の上着《ジャケット》には駐屯兵団《ちゆうとんへいだん》の証《あかし》である薔薇《ばら》の紋章《エンブレム》が描かれており、そこからは職務に対する誇りと自信をうかがうことができた。結わえられた艶《つや》のある黒髪は決意の証《あかし》だ。

「目立つ行動は控えてね。憲兵団《けんぺいだん》に目をつけられると厄介だから」

「それは兵としての警告？」

「幼《おさな》なじみとしての忠告」

外の世界に興味を抱くことを禁忌《タブー》とされる時流である。あまり派手に動くと要注意人物として憲兵団に指定《マーク》されかねなかった。

（さっさと公表すりゃいいのに）

王政府《おうせいふ》が壁外の情報を公にすれば興味も薄れるはずだが、それが行われないのは知られることで旨《うま》みがなくなる連中がどこかにいるのだろう。

「壁《あれ》のせいで仕事に支障が出ているのは事実なんだけどな」

「でも壁がなければ私たちは生きていけない」

そう言って壁を見上げるマリアの顔はとても誇らしげだ。駐屯兵団に籍を置くマリアにとって『ウォール・マリア』は特別な建物に違いない。その主な職務は城郭《じようかく》都市の要であり、兵事上における最重要施設でもある壁の強化と修繕にあるからだ。

だがマリアとは異なり、アンヘルは壁に特別な思い入れはなかった。

（壁は壁だ）

そのような結論にいたってしまうのは、アンヘルが兵団に卸す武具の開発と製造を生業《なりわい》にしているためだろう。

（攻撃は最大の防御ってやつだな）

　そうは思ったものの口にはしない。話したところでマリアが共感するとは思えないし、議論しても平行線をたどるのが目に見えている。実際、何度か話題になっていたが、そのたびに手酷《てひど》くやりこめられたという苦い過去がアンヘルにはあった。

「ところでなぁに、その髪は……」

　マリアは溜《た》め息《いき》をつくと、ぼさぼさになっているアンヘルの髪を手櫛《てぐし》で整えていく。

「お、おい。子供《ガキ》じゃないんだから、よせって」

　アンヘルは周囲の目を気にして慌《あわ》てるが、マリアは気にもしない。

「子供じゃないなら、あんまり手を焼かせないで」

「はいはい」

「髭《ひげ》も忘れずに剃《そ》ること」

　満足のいく整髪ができたのだろう。マリアはアンヘルの周囲をぐるりと回りながら身だしなみを確認《チェック》すると、納得の表情で一つ頷《うなず》いた。

「ところで、油を売っててもいいのか？」

「私は夜勤明け。サボってるわけじゃないわよ？」

　マリアはアンヘルをジロリと睨《にら》む。あなたと違って、とでも言いたげな目だ。

「ってことは、ソルムのお出迎えってわけだ。仲がよろしいことで」

「あなたもでしょう？」

「俺《おれ》はソルムと婚約した覚えはない」

アンヘルがつぶやくと、マリアは無言のまま目尻《めじり》をキュッと吊《つ》り上《あ》げた。

「訂正。一応、親友という間柄らしい」

アンヘルとマリアが雑談に興じている間に正門周辺が賑《にぎ》わい始めた。鐘の音を聞きつけて集まってきたのか、あたりは見る間に人でごった返していく。ぱっと見《み》で三百人ほどだろうか。老若男女さまざまだが、彼らの目的はアンヘルと同じだ。まもなく遠征に出かけた調査兵団《ちょうさへいだん》が壁外から帰還する。彼らは正門を潜り、南北に走る大通りを通って兵舎へと帰るのだが、その光景は兵の勇ましさも手伝って凱旋《がいせん》パレードさながらだ。調査兵団の帰還は娯楽の少ないシガンシナ区の住人にとって、ちょっとしたイベントなのである。

(それも過去の話、か……)

一見、多くの人が集まっているようだが、実のところ局所的だ。シガンシナ区の人口が三万人あまりであることを考慮すれば、調査兵団の帰還は住民の関心事ではないと判断できる。しかも野次馬《やじうま》が大半で、帰りを心待ちにしているのは彼らの縁者くらいである。

だが住人の冷めた反応も当然だった。

(情報は開示しない。結果も出せない。それでいて遠征にかかる費用は税金だからな……)

住人の不満を押さえこんでまで調査兵団の存続が許されているのは、なんらかの政治的な判断があるのだろう。もとより不透明な部分が多い調査兵団の遠征だが、密室政治ともなれば住人には何が起きているのかさえ知りようがなかった。

「そろそろ英雄の御帰還《ごきかん》だ」

壁に阻まれて調査兵団の英姿は拝めないが、壁外からリズミカルな音が聞こえてきた。何十頭もの兵馬が奏でる足音だ。それに急《せ》かされるように兵の動きが慌ただしさを増す。日頃《ひごろ》の訓練の賜《たまもの》か彼らの動きには無駄がなく、整然と行動する様は機械にも似ている。開門と閉門は速やかに行わなければならないので機械的《システマチツク》なくらいでちょうどいいのだ。

「うまくいってくれてるといいんだけど」

マリアが不安を漏らした。

「任務のことか？」

「それしかないでしょう？」

「結果なんか二の次のくせに」

「そんなことないわよ」

マリアはしれっと言ってのけるが、それは本音ではないだろう。彼女が気にしているのは婚約者《ソルム》の安否であって、調査兵団の任務などさして重要ではないはずだ。

（ま、俺も同じだけど）

謎《なぞ》だらけの任務より親友の命のほうが気がかりだった。

「優等生め」

「兵服を着ている間はね」

アンヘルとマリアが会話の応酬を繰り広げている間に、調査兵団は間近に迫っていた。多数の馬が地面を蹴立《けた》てているのだろう。地面が微《かす》かに震えている。

「開門！　開門!!」

見張り台に立つ兵が指示を飛ばす。間髪を容《い》れず十メートルはあろうかという巨大な門が轟音《ごうおん》とともに開き始めた。アンヘルは目を細め、ずいと身を乗り出すと、門の先に見える世界を注視する。

（確認できるのは不毛な大地のみ）

アンヘルは目を凝らすが特筆に値する何かは見当たらず、じっくりと観察する間もなく外の世界は馬煙《うまけむり》で覆われた。

（噂《うわさ》の化け物でもいたらよかったんだがな）

だが確認できたのは化け物ではなく馬の群れだ。それを御しているのは翼の紋章が入った外套《マント》を羽織《はお》り、頭巾《フード》を被った騎兵――すなわち調査兵団の兵である。

（評判はさておき、さすが兵隊）

騎兵が続々と門を潜《くぐ》り抜けてくる様子は迫力満点だ。

「閉門！　閉門!!」

調査兵団が通過し終えたとたん、門は速やかに閉じられた。それは賞賛に値するほどの迅速な作業だ。門が開いていたのは一分ほどであり、そこには外敵の侵入は許さないという駐屯兵団の確固たる信念がうかがえた。マリアの表情もどこか誇らしげだ。

駐屯兵団が職務を完璧《かんぺき》に遂行する一方で、調査兵団の様子は冴《さ》えなかった。

「ずいぶんと数を減らしたな……」

帰還した兵は約五十名。出発時の人数は八十名ほどなので、半日という短い遠征にもかかわらず被害は甚大だ。生き残った兵も無傷ではない。軽傷の者が大半だが、中には四肢の一部を失った者もいる。死体となって戻ってきた者もいた。

（何をやってきたんだか知らないが、今回の遠征も失敗ってわけだ）

被害の状況と兵の仏頂面《ぶっちょうづら》を見ればそれと分かる。住人も察《さっ》しているのか歓声は少なく、凱旋《がいせん》にしては盛り上がりに欠ける状況だ。だが失望感もさして伝わってこないところをみると、端《はな》から期待されてはいなかったのだろう。

（落胆せずにすむ最良の方法は期待しないこと、か）

アンヘルは嘆息すると生還した兵の顔を一人ずつ確認していく。猛者がそろう調査兵団の兵だけあって誰《だれ》も彼も精悍《せいかん》な面構えだ。その中に見覚えのある好男子の姿があった。

ソルム・ヒューメ。調査兵団の期待の新人であり、アンヘルの幼なじみでもある。

（こりゃまた、ずいぶんと色男になったな）

ソルムの顔は煤《すす》と埃《ほこり》で薄汚れていたが、怪我《けが》をしているようには見えない。その鋭い眼差《まなざ》しは前方を見据えており、手綱を巧《たく》みに操りながら馬を常歩《なみあし》で進めていく。

「まあ、そう簡単にくたばるわけないか」

「当然でしょう。結婚もしていないのに未亡人にされても困るもの」

「さっさと転属願いを書かせたほうがいいぞ。そのうち冗談じゃすまなくなる」

「言って聞くような人ならね……」

「確かに」

アンヘルは苦笑いする。

「とにかく、無事に帰ってきただけでもよしとするか」

アンヘルとマリアがソルムの生還を喜ぶ一方で、帰還できなかった兵の身内は悲嘆《ひたん》に暮れていた。遠征に行く以上、死出《しで》の旅になる可能性は否定できず、兵も、そしてその身内も、それなりの覚悟で遠征に臨《のぞ》んでいたはずである。

(でも本当に死ぬなんて思わなかったんだろうな)

彼らの狼狽《ろうばい》ぶりがそれを示していた。

とりわけアンヘルの目を引いたのは妊婦服を着た一人の女性だ。歳《とし》は二十歳前後。色白で線が細く、支えなければ倒れてしまいそうな儚《はかな》い印象の女性である。

マリアは幽鬼《ゆうき》のようにふらりふらりと徘徊《はいかい》する女性の姿に眉《まゆ》を曇らせた。

「知り合いか？」

「ええ。彼女はエレナ・マンセル。旦那様《だんなさま》はヒース班長」

「ってことは、ソルムの上司か」

面識がないので名前を告げられても顔すら浮かんでこないが、おそらくヒースは調査兵団の中でも実力者に違いない。班長という地位がそれを裏付けていた。

「ヒース班長は帰ってこなかったのね。新婚さんなのに……」

マリアは辛そうな表情を浮かべている。

（明日は我が身か……）

エレナはおぼつかない足取りで兵に近づいては、亡き夫《ヒース》の安否を訊《たず》ね回っている。その瞳《ひとみ》は虚《うつ》ろで、焦点も定まっていない。

「王政府《おうせいふ》から保障は受けられるんだろ？」

「生活には困らないと思う」

「でも金だけじゃ、旦那《だんな》の代わりにはならないよな」

「何かできればいいんだけど」

「そうだな……」

しかしエレナのためにやれることなどたかが知れていた。

（彼女にしてみれば、金なんかいいから旦那を返せってところか）

つまり何をしても今のエレナの救いにはならないということだ。

(時間が解決するんだろうが……)

あれこれと考えていたとき、頭上で雷鳴にも似た爆音が轟《とどろ》いた。衝撃で空気が微《かす》かに震えている。アンヘルは反射的に身をすくめるが、あたりに落雷の形跡はない。

「何が起きた⁉」

その問いに答えるかのように、南風に乗って微《かす》かな薬品臭が漂《ただよ》ってきた。

「これは……」

アンヘルは鼻をひくつかせると、空気中に漂う仄《ほの》かな薬品の成分を鼻腔《びこう》へと取りこむ。

(硝石《しょうせき》、木炭、硫黄、アルミニウム……)

つまり硝煙《しょうえん》である。

「大砲でもぶっ放したか?」

地上からは確認できないが間違いないだろう。

確信に至った理由は単純である。

(つまり俺《おれ》が作った大砲は壁上《あそこ》に設置されたわけか)

兵団からの発注を受けて大砲を十門ほど製作していたが、その用途まで知らされていなかった。だが頭上で砲音が炸裂《さくれつ》したからには、大砲は壁上に設置されたということだ。

「今の砲撃は?」

「たぶん威嚇射撃《いかくしゃげき》」

「ってことは、噂《うわさ》の巨人様がおいでなすったわけか」

巨人とは人間を捕食する化け物の総称である。

人類が巨大な壁を建造し、その内側で暮らさざるをえなくなったのは、巨人の脅威から逃れるためだ。先の遠征で調査兵団に甚大な被害を与えたのも巨人の仕業だろう。

(後学のために、ぜひ一度お目にかかりたいところだが)

巨人がとんでもない化け物なのは容易に想像できるが、アンヘルはさほど怖さを感じなかった。知識でしか知らない相手では怯《おび》えようがないからだ。アンヘルにとって巨人は実体がない幽霊と同じである。

「しかし酷《ひど》い音だな……」

アンヘルは両手で耳をふさぐと、立て続けに鳴り響く砲撃音に顔をしかめる。

(減音装置《サプレッサー》の依頼がきそうだ)

苦笑した直後、十発目の砲撃音が炸裂《さくれつ》するが、それを最後に砲撃はぴたりとやんだ。

「仕留《しと》めたのか？」

アンヘルはおそるおそる耳から手を外すと、マリアへと目を向ける。

「そうだといいけど、たぶん無理だと思う」

「無理ねぇ……」

アンヘルはつまらなそうにつぶやくと『ウォール・マリア』を注視した。十発も砲弾をぶっ放せば、巨人に直撃せずともあたりは火の海だ。生物など生きてはいられない。

(そこいらにいる生き物なら即死は確実)

巨人が想定外の化け物だとしても、それを見越した火力を大砲は搭載している。

(巨人の丸焼きの一丁あがりだ)

しかしアンヘルの自信《プライド》を打ち砕くかのように、壁の向こう側から足音が近づいてきた。

「おい、嘘《うそ》だろ……」

「たぶん巨人が壁に近づきすぎたんだと思う」

口をあんぐりと開けるアンヘルに対し、マリアはさらりと事情を説明する。

「それが砲撃をやめた理由か」

不壊《ふえ》の壁とも称される『ウォール・マリア』はこれまでのところ巨人の突破を許してはいない。壁は巨人のぶちかましを撥《は》ね返すだけの厚みがあり、手が届かないほどの高さがあった。

「こうなると分かってたみたいだな、その口ぶりだと」

「下手に攻撃して壁を傷つけるよりはましだから」

「大砲を作った俺《おれ》としては微妙だけどな……」

アンヘルはぐっと拳《こぶし》を握りしめる。

（しかし、あれが足音とは……）

アンヘルは己の耳を疑った。

徐々に迫る足音は、人間のそれとは似ても似つかぬ轟音《ごうおん》だ。ほとんど地鳴りであり、実際、地面は微《かす》かに鳴動《めいどう》している。巨人がとてつもなく大きい証拠だろう。

（歩く災害ってところか）

自然の脅威に喩《たと》えたとたん、幽霊にも似た不確かな存在に現実感がともなっていく。

巨人は架空の化け物などではない。

実在する人類の敵である。

アンヘルの脳内で巨人の定義が速やかに書き換えられていく。そしてその作業が終了するや否や、アンヘルの体に悪寒が走った。背筋に冷や汗が流れ、体中の産毛が総毛立ち、胸郭《きょうかく》の中で心臓が遠慮なく暴れ始める。本能が警鐘《けいしょう》を鳴らしているのだろう。

巨人が地鳴りを引き連れて近づいてくる。

一歩、また一歩。

歩みは牛のような鈍《のろ》さだが、巨人との距離は少しずつ、しかし着実に縮まっている。

壁に行く手を阻まれたのか、不意に足音がやんだ。

（仕掛けてくる）

アンヘルは身構えると、感覚を研ぎ澄まして巨人の動きに探りを入れる。しかし気になるような何かはまるで感じ取れない。

「何もしてこない？」

アンヘルは眉間《みけん》に皺《しわ》を寄せた。

「てっきり壁を壊しにかかると思ったんだけどな」

だがそれはアンヘルの無知がもたらした偏見であり、巨人はこうであるはずだというイメージを押しつけたにすぎなかったのだろう。

（まあ連中に壁をどうこうできるような知恵があれば、とっくに人類は絶滅してるか）

アンヘルはそびえ立つ『ウォール・マリア』を振り仰ぐ。

「『ウォール・マリア』様々ってところだな」

「少しは壁の存在意義が分かってもらえた？」

「嫌というほど理解できた」

「これでも攻撃は最大の防御だと思う？」

「意地悪だな」

「たまにはね」

にこりと微笑《ほほえ》むマリアに対し、アンヘルは肩をすくめてみせた。

軽口を叩《たた》いたせいか緊張もいくらか和《やわ》らいでいる。砲撃という予期せぬ出来事に見舞われた住人も立ち直り始めていた。調査兵団の帰還を祝う号砲と勘違いした者もいたのかもしれない。

「そろそろソルムに会いに行こう」

マリアに声をかけたとき、アンヘルの頬《ほお》を一滴の雨粒が叩いた。手の甲で頬《ほお》をぐいと拭《ぬぐ》い、空を見上げる。分厚い雲で覆われた空は今にも泣き出しそうな雰囲気だ。

「涙雨ってやつだな」

「一雨《ひとあめ》くるかもね……」

マリアは日差しでも遮《さえぎ》るかのように手をかざすと、灰色の空を見つめた。

雨はぽつぽつと降り始めている。この調子だと、ほどなく本降りになるだろう。

（さっさと移動したほうがよさそうだ）

そんな感想を抱いたとき、アンヘルの視界に黒い球体のような何かが映りこんだ。

「鳥……？」

だがアンヘルは即座に考えを改めた。球状の鳥など存在しないからだ。

「よけろっ!!」

突然、頭上から降ってきた叫び声に、アンヘルは身を固くする。声を張り上げたのは壁上にいる駐屯兵団の兵だ。

（よけろ⁉）

黒い球状の塊を指しているのだろうが、それがどのような危険物かは判断がつかない。

だが塊の正体が分かったとしても対応する時間がなかった。塊は数メートル先の石畳に向かってつっこんでいく。

「伏せろっ!!」

アンヘルはマリアとともに地面に這《は》いつくばる。

爆弾の可能性も否定できなかったが、その塊は熟した果実のようにぐしゃりと潰《つぶ》れると、得体の知れない内容物をあたりにまき散らした。

「あれは……」

激突の際に扁平《へんぺい》になっていたが、落下物が何かは理解できる。

「頭……なのか……」

ほとんど原形をとどめていないが、よくよく確認するまでもなくそれと分かる。窪《くぼ》んだ眼窩《がんか》に削《そ》げた鼻、下顎《したあご》は消えているが口も見て取れた。黒い塊に見えたのは頭髪《とうはつ》のせいだろう。飛散《ひさん》したのは脳味噌《のうみそ》や骨片、体液がゴチャ混ぜになった何かだ。

正視に堪えない惨《むご》たらしい光景に、胃の内容物が喉元《のどもと》へと迫《せ》り上《あ》がっていく。口内に胃液が広がったとたん、アンヘルは口を手で押さえて嘔吐《えず》くが、どうにか吐き出さずにすんでいた。

「なんだ……。なんなんだ、いったい……」

混乱するアンヘルのもとに一人の女性が頼りない足取りで近づいてきた。エレナだ。

「あら、こんなところで道草なの？」

エレナは生首のもとへと歩み寄ると、衣服が汚れるのもいとわずにその場にしゃがみこみ、地面にへばりついている頭部を引《ひ》き剝《は》がした。そしてそれを胸に抱きしめる。

「どうりで帰りが遅いと思った」

エレナはケタケタと奇怪な笑い声を放った。

「首《あれ》は……旦那《だんな》のものなのか？」

「確認しないと分からないけど、たぶん……」

エレナはヒースの死を認識できていないのか、肉塊に向かってつぶやき続けている。

（けど、なんで頭が空から……）

答えを求めて頭上を見上げたアンヘルは、信じがたい光景に目を剝《む》いた。流れ星よろしく生首がいくつも空を舞っていたからだ。壁外から放《ほう》られてくる首《それ》は、次々と地面に歪《いびつ》な花を咲かせていく。そのつどあちらこちらで悲鳴が上がった。

「巨人が首を放《ほう》りこんでいる？」

だが巨人の仕業だと考えればこの奇怪な状況も合点がいく。

「でも、なんで首なんか……」

「理由なんかない」

「どういう意味だ？」

「食べたいから食べる。嫌いだから捨てる。それだけよ、きっと」

「それじゃあ――」

「人間と同じじゃないか」と言いかけるが、アンヘルはぐっと言葉を飲みこむ。そのようなことを認めるわけにはいかないからだ。

巨人の行動に理解を深めようと努めている間にも、生首は次から次へと放《ほう》られてくる。

「クソッ！　玉入れでもしてるつもりか⁉」

アンヘルは吐き捨てるような勢いで毒づいた。

幸いにも怪我人《けがにん》は出ていないが、地面や建物はぶちまけられた脳や体液、肉片などで酷《ひど》く汚れている。この世のものとは思えないおぞましい光景だ。

そんな地獄にも似た光景に恐れをなしたのだろう。調査兵団の凱旋《がいせん》を祝うべく集まった人々は悲鳴を上げながら右往左往していた。人間の頭部が空から降ってくるなどありえないのだから、彼らの反応も当然である。

打ち止めになったのか生首は放りこまれなくなったが、もはや人々は恐怖の虜《とりこ》であり、恐慌状態におちいるのも時間の問題だった。

（好き勝手しやがって……）

アンヘルとて平静ではいられなかったが、そのような状況下でも平静を保っている者がいた。調査兵団である。彼らは目の前に広がる惨状にも怯《ひる》まず、毅然《きぜん》とした立ち姿を崩しもしない。厳しい訓練と、それ以上に過酷な多くの困難を乗り越えてきた証拠だろう。

そんな強者《つわもの》ぞろいの兵の中で、ひときわ威風堂々《いふうどうどう》とした気配を放つ者がいた。

（ホルへ・ピケール）

彫像のような厳《いか》めしい容姿をしたその男は調査兵団の隊長である。ホルへは腰に提げた信号拳銃《けんじゆう》を手にすると、その銃口を空へと向けた。そして躊躇《ちゆうちよ》なく引き金《トリガー》を引く。銃口から閃光《せんこう》とともに発砲音がほとばしり、上空で破裂した弾丸は太陽にも似た光を放った。

「『白星《しろぼし》』か……」

信号拳銃《けんじゆう》に装填《そうてん》されていた弾丸の名称である。

『白星』の本来の用途は夜間の照明と仲間への合図である。だが今回はパニックにおちいった住人の注意を引くのに用いられた。住人の動きがピタリと止まり、その視線が頭上の光へと集まっていく。

一瞬、あたりがしんと静まる。

それを好機と見たのか、ホルへが行動に移った。

「落ち着け！　落ち着けっ!!」

発砲音より大きなその声は、取り乱した住人の間に広がっていく。

その効果は絶大だ。憑《つ》き物《もの》でも落ちたかのように住人は続々と正気を取り戻し始めた。

猛者を束ねるホルへにとって、住人に活を入れるなど造作ないのだろう。図らずも調査兵団の存在感を見せつける形になっていたが、もはや凱旋《がいせん》パレードどころではなかった。

ぽつぽつと降っていた雨が徐々に勢いを増していく。

それは飛散した脳味噌《のうみそ》を洗い流すのに一役買ってくれるに違いない。

一章

七四三年。

突如として歴史の表舞台に現れた巨人により、人類は絶滅の危機に直面していた。

彼らは何処《どこ》から現れ、何を目的としているのか——。

ある者は天災であると話し、またある者は天罰であると主張したが、人類は状況を何一つ把握できないまま一方的に捕食され続け、総人口を五十万人にまで激減させていった。

人類が城郭都市に生活圏を移したのは、他に巨人に抗《あらが》う術がなかったからだ。つまり進んで籠《かご》の鳥になることで、絶滅という最悪のシナリオを回避したのである。

人類に与えられた生存圏は七十二万平方《へいほう》キロメートルほど。土地は瘦《や》せていたが慎《つつ》ましやかに暮らすだけなら十分な広さだった。その周囲をぐるりと囲っているのが城郭都市の要である壁《ほこ》——すなわち『ウォール・マリア』である。総延長三千二百キロ、高さ五十メートルを誇る強固な壁であり、それは巨人の侵攻を完壁《かんぺき》に遮断《しゃだん》していた。

壁は『ウォール・マリア』だけではない。そこから百キロの内地には第二《ウォール・ローゼ》の壁が控えており、さらには最終防衛線である第三《ウォール・シーナ》の壁も用意されている。人類は三重の防御壁に守られることで平和を取り戻すことに成功していた。かりそめの平和ではあったが。

巨人の出現から三十年あまりが経過した今も、両者は被食と捕食の関係を続けていた。

その生態については謎《なぞ》だらけである。人間が食料《エサ》であること以外は、ほとんど知られていない。なにより都合が悪かったのは巨人の急所が不明だという点だ。いまだ人類は巨人との戦闘で勝利を収められず、不死であるというのが今現在の常識である。四半世紀強で得た情報としてはあまりにもお粗末だが、積極的に調査を行わなかったのだから当然だ。外の世界を取り戻す必要はない。

今を幸せに生きよう。

それが籠《かご》の鳥としての運命《さだめ》であるという不文律が住民の間に浸透していたのである。

×　×　×

シガンシナ区は『ウォール・マリア』の最南端に位置する街で、出来物《できもの》のように壁から突き出す奇妙な構造をしていた。壁外に巨人が徘徊《はいかい》していることを考慮すると、ありえない造りである。だがそれは防衛上の都合によるもので、実のところ理にかなった構造だ。

駐屯兵団は優秀だが、一万人程度の兵力で『ウォール・マリア』のすべてを警備するのは現実的ではない。そこで考え出されたのが巨人の誘導だった。壁から街を突出させ、そこに人を住まわせることで、巨人は人間を求めて自然と集まってくる。巨人が現れる場所が限定されれば警備は容易となり、兵力も集中できるというわけだ。つまりシガンシナ区の住人は撒き餌《まきえ》であり、巨人はそれに群がる魚のようなものだった。

ただその画期的な方法も人が住まなければ機能しない。住人がリスクを承知でシガンシナ区に住んでいるのは、王政府が税制面で優遇していたからである。おかげでリスクがあるにもかかわらず人の流入はあとを絶たない状況だ。

そんなシガンシナ区の外れにアンヘルが籍を置く工房は建っていた。工房は兵に支給される武具の開発と製造を請け負っており、百名の職人が日夜そこで汗を流している。

アンヘルが工房の門を叩《たた》いて早三年。当初から頭角を現していたアンヘルは、今では名実ともに工房の顔《そこ》だ。ついた肩書は発明王である。そのような事情もあり、アンヘルは若手にもかかわらず工房内に個人の開発室を持ち、助手をつけることまで許されるという破格の待遇を受けていた。

とは言え、実力をいかんなく発揮できたわけではない。武具は発注に従って作っているだけで、自由な発想で開発できるわけではないからだ。

「俺《おれ》に任せておけばいいのに」

アンヘルは溜《た》め息《いき》をつくと、指先で頭をポリポリとかく。

「もっとこう、柔軟な対応はできないもんかな」

制約が多い中で工夫を重ね、独自性を出そうと奮戦してはいたが、冒険ができないのはストレスでしかない。少しでも注文と異なる武具を納品すると、たとえ予定より性能が良くても作り直しを命じられる有り様である。発注者が重視するのは注文どおりの武具が納品されることであって、それ以上を求めてはいないのだ。

「あ、おかえりなさい！」

開発室の扉を開けたとたん、アンヘルは作務衣《さむえ》姿の女の子と目が合った。

コリーナ・イルマリ。工房で働く職人であり、アンヘルの助手でもある。手先が器用だからとの理由で工房に来た変わり者だが、兵団関係の仕事なら食いっぱぐれないだろうという現実主義者でもある。まだ見習いなのでアンヘルのサポートがメインだが、男社会の工房においてマスコットという独自の地位を築いていた。男性には厳しく接する職人たちも十五歳の女の子が相手では目尻《めじり》を下げるしかないというわけだ。

（まあ、その気持ちも理解はできるけど）

アンヘルはコリーナの様子をちらりとうかがった。

コリーナは工具ではなく箒《ほうき》を手にしており、あくせくと動き回りながら室内の掃除に精を出している。部屋の主がいない間に混沌《こんとん》と化した室内をどうにかするつもりだったのだろう。

三十平米の室内には本棚やテーブル、ベッドなどの什器《じゅうき》の他《ほか》に、開発に必要な機材が置かれているのだが、そこは嵐《あらし》でも過ぎたかのような酷《ひど》い有り様《あさま》である。床には発明品という名のガラクタが散乱しており、家具にいたってはゴミ箱《ばこ》程度の機能しか果たしていない。開発室と言いつつアンヘルの自室も兼ねているため、室内はまさに混沌《カオス》そのものだ。

「浮かない顔をしてますけど、何かあったんですか？」

コリーナは好奇心に満ちた黒い瞳《ひとみ》を向けてくるが、すぐにハッとした表情を浮かべた。

「まさかソルムさん……」

惜しい人を亡くしましたとでも言い出しそうなコリーナに、アンヘルは首を横に振る。

「あいつがそう簡単にくたばるわけないだろ」

「……まぁ、それもそうですよね」

「だろ?」

「死にそうにないです。アンヘルさんと一緒ですね」

「どんな納得の仕方だよ」

アンヘルは額《あいつら》に手を当てて唸《うな》り声《ごえ》を上げた。

「けどまあ、調査兵団の強さは折り紙つきだ。それでも手酷《てひど》くやられていたが……」

「そうなんですか?」

「空から兵の生首が降ってきた」

「はい?」

コリーナは目を瞬《しばたた》かせると、素《す》っ頓狂《とんきょう》な声を上げた。

「巨人が壁の外から残飯を放《ほう》り投《な》げてきたんだ」

アンヘルは嘆息すると、先の事件について身振り手振りを交えて説明した。

「おかげであたりは脳味噌《のうみそ》だらけ。今も兵団総出で掃除中だ」

雨がいくらか洗い流すだろうが、死んだ仲間の臓物《ぞうもつ》をかたづけるのは百戦錬磨《ひゃくせんれんま》の強者といえど精神的な苦痛をともなうだろう。想像しただけで胃の内容物がこみ上げてくるほどだ。

「行かなくて正解でした」

「俺《おれ》だってそう思う。でも、あの場に居合わせたのはよかったと思う」

「どうしてです？」

「巨人の恐ろしさを実感できたからな。開発意欲が増すだろう？」

「だとしても、私は見たくないです……」

「職人失格だな」

コリーナは「むむむ」と唸《うな》り声《ごえ》を上げた。

「そう言えば大砲の音が聞こえましたけど、あれって巨人を狙《ねら》ったんですよね？」

「マリアは威嚇射撃《いかくしゃげき》って言ってたけどな」

「結果はどうでした？」

「さぁな」

アンヘルは肩をすくめる。

「だから、いつまで経《た》ってもろくな武器ができないんだ」

「なるほど。浮かない顔をしてるのはそのせいですか」

コリーナはポンと手を叩《たた》いて納得顔をした。

「一度も巨人を見たことがないんだぞ。武器がどんな使われ方をしてるのかも知らないし、結果の報告さえない」

「手応《てごた》えもないですよね」

「だろう？　巨人を倒す気があれば、もっと情報を流してもよさそうなもんだ」

「倒すつもりがないのかも？」

「ありうる」

巨人が死なないというのは子供ですら知っている常識だ。巨人用の武具の開発が積極的に行われないのは、倒せないのだから投資する価値がないと判断されているためかもしれない。

「巨人の生態を調べつくせば、弱点の一つや二つあるはずなんだがな」

「倒せないっていうのが大前提ですもんね。覆すのは大変かも」

「だからさっさと調査をやりゃよかったんだ」

敵の正体さえ分かれば、必要以上に巨人を恐れずにすむはずだ。しかし一介の職人でしかないアンヘルが提案したところで、すげなく却下されるだけだろう。

（あるいは政治犯にされて監獄行きのどちらかだろうな）

そもそも御上《おかみ》に提言する場もなかった。

やれやれとばかりに天を仰いだアンヘルは、室内に飾られた植物に目を留《と》めた。

アンヘルが植物に気づいたのは飾る習慣がないためだが、それは無視するほうが難しいほどの存在感を放っていた。床を突き破って生えてきたかのような印象だ。

「竹……なのか？」

垂直に伸びた稈《かん》と等間隔に刻まれた節は竹のそれだが、青竹のような青さはない。銀白《ぎんはく》色《しょく》をしたそれは金属にしか見えなかった。葉も同様の色調で、さながら細身のナイフだ。

「これは？」

アンヘルが竹を指さして訊《たず》ねると、

「黒金竹《くろがねだけ》です」

コリーナは事もなげに答えた。

「さっき兵団の方が運んできたんですけど、素材《そざい》として使えるか検討してほしいそうです」

「検討も何も、竹だろう？」

アンヘルは黒金竹に近寄ると、稈を指先で軽く弾《はじ》いた。意外にもそれは金属のような音を返してくる。竹炭は金属にも似た音を奏でるが、それに近い印象だ。

「加工品か？」

あらためて黒金竹に触れると、金属特有のひんやりとした冷たさが伝わってきた。

「山岳部に自生してるそうです」

「鉱石は採掘するものだと思ってたんだがな。いつから生えるようになったんだ？」

「私に聞かれても困るんですけど……」

コリーナはもごもごと口ごもった。

（金属が生えてくるわけないが……）

ある種の植物は土壌に含まれる金属類を吸収して蓄える性質がある。黒金竹も生長の過程でそれらを吸収し、長い年月をかけて蓄積させていったのかもしれない。

（一度、調査してみる必要があるな）

山岳地帯に多くの鉱石が眠っているのは事実だ。黒金竹《くろがねだけ》が自生している土壌を調べれば、何かしらの手がかりが得られるだろう。

「それじゃあ、さっそく試してみるか」

アンヘルは棚に立てかけてある埃《ほこり》まみれの短刀を手にした。それは兵に支給されるありふれた武器の一つだ。

「さて、黒金竹《おまえ》の特性を見せてもらおうか」

アンヘルは鞘《さや》から刀を引き抜くと、薪《まき》でも割るかのような勢いで黒金竹を切りつけた。

室内に甲高い金属音が響き渡り、刀身から痺《しび》れるような衝撃が伝わってくる。

「すごいです！　傷一つついてませんよっ!!」

コリーナは興味深そうな目で黒金竹をしげしげと眺めた。

稈にはうっすらと筋がついていたが、変化といえばそれだけだ。真っ二つにするつもりで刀を振るっていたのだが、黒金竹の硬度はアンヘルの予想を遥《はる》かに超えていた。

「なるほど。素材としては確かに面白そうだ」

アンヘルは刃こぼれを起こした短刀を床に放《ほう》り投《な》げた。

×　×　×

工房長から呼び出しがかかったのは、黒金竹の加工方法について検討していたときだ。

「面倒だな……」

工房長室へと続く扉の前で、アンヘルは深い溜《た》め息《いき》をついた。

工房長から呼び出されるということは、叱《しか》られるか、そうでなければ面倒な仕事を押しつけられるかのどちらかである。ろくな目に遭《あ》わないのは確実だ。

アンヘルは「やれやれ」とつぶやき、頭をかくと、覚悟を決めて扉を開いた。

工房長室はアンヘルの開発室とは異なり、整理整頓《せいりせいとん》が隅々まで行き届いていた。床にはガラクタどころか塵《ちり》一つ確認できない。壁面には工房で開発した武器や装具が整然と並べられており、部屋の主がいかに几帳面《きちようめん》かをうかがうことができる。

部屋の中央には来客者用のテーブルとソファーが配置されており、そこに恰幅《かつぷく》のよい作務衣《さむえ》姿の男性がどっかと腰を下ろしていた。工房長のカスパル・クリスティアンである。

工房内でアンヘルが恐れる唯一の人物で、かなりの強面《こわもて》だ。四十代半ばで脂が乗り切っており、肌も褐色で色艶《いろつや》がよい。刀匠として名を馳《は》せた人物だが、調査兵団にいてもおかしくはない風貌《ふうぼう》だ。その頭部は今日も必要以上に光り輝いている。

「おめえが作った大砲だが、上々の出来みてえだな」

カスパルはスキンヘッドをなでると、恫喝《どうかつ》するような凄《すご》みのある声で語りかけてきた。

(誉《ほ》められてる気がしないのはなんでだろうな)

アンヘルが誉《ほ》められることに慣れていないせいか、はたまたカスパルの容姿の問題か。

だが根本的な問題は別のところにあった。

「どのへんが上々なんだ? 巨人を追い払えなかったってのに」

「現場に行ったのか?」

「親友《ソルム》が遠征に行ったんだ。出迎えるのは当然だろう?」

「なるほど」

カスパルは丸太のような太く逞《たくま》しい腕を胸の前で組むと、納得したのか一つ頷《うなず》いた。

「結論から話すと、大砲は巨人には命中しなかったようだ」

「は?」

アンヘルは口をぽかんと開けた。

「微妙に精度が甘《あめ》ぇようだが、お偉いさんは満足したようだ。次もよろしくってよ」

「欠陥品で満足したのかよ。ものすごく遠回しな嫌味《いやみ》を言ったんじゃないのか?」

「んなことはねえよ」

カスパルは否定するが、どうにも納得がいかないアンヘルである。

（とりあえず機能してるからよしとするじゃ、次につながらないってのに）

これなら罵倒《ばとう》されたほうがいくらかましだった。

「弾は直撃しなくても、間接的に被害は与えられるだろう?」

カスパルは満足した様子だが、アンヘルは素直《すなお》に喜べない。大砲が完璧《かんぺき》に機能し、その性能をいかんなく発揮していれば、正門前の惨劇《さんげき》は起きなかったかもしれない。

（たらればだが……）

しかし回避することはできたはずだ。

大砲の改造に着手できず、成果も確認できないとあっては、不満しか残らなかった。

「納得できないみてえだが、誇っていい」

「そう言われてもな……」

「調査兵団を追っていた巨人は十体って話だ。そのうち『ウォール・マリア』への接近を許したのは一体だけだ」

「十体も!?」

「おめえの大砲は巨人の大半を蹴散《けち》らしたってわけだ。十分すぎる結果じゃねえか」

カスパルはニヤリと笑う。

「調査兵団がすんなり帰還できたのも、大砲で巨人を迎撃できたからとも言えるだろ?

これまでより安心感も増したはずだ」

「ずいぶんと持ち上げるが、話ってのは大砲の件なのか？」

「それはついでだ。用件は別にある」

「そんなことだろうと思った。どうせ飴《あめ》の次は鞭《むち》なんだろ？」

アンヘルが苦笑いしたとき、工房長室の扉が開かれた。

「お呼びですか、工房長」

澄《す》まし顔で現れたのは、工房の重鎮《じゅうちん》であるゼノフォン・ハルキモである。ざんばら頭と染みだらけの作務衣《さむえ》そしてメタルフレームの眼鏡がトレードマークの三十代半ばの男性だ。前発明王であり、アンヘルの先輩《せんぱい》でもある。もっとも成果主義の世界なので立場的にはアンヘルのほうが上なのだが。

（嫌な奴《やつ》がきたな）

今の今までうさんくさい実験を行っていたのか、ゼノフォンの体からは微《かす》かな薬品臭がした。おおかた新しい火薬の開発でも行っていたのだろう。ゼノフォンの得意分野は爆発物の製造と開発であり、大砲に使用された砲弾や火薬類はゼノフォン製だった。

（なんであいつがここに？）

アンヘルはゼノフォンを一瞥《いちべつ》するが、彼は目を合わせようともしなかった。

（まあ、向こうも同《おんな》じことを考えてるだろうが）

あるいは発明王の座を奪われ、過去の人にされたことを根に持っているのかもしれない。もっともその呼称は周囲の人間が勝手に言い始めるものなので、アンヘルがゼノフォンから奪ったわけではなかったのだが。

「工場都市についての話は聞いてるな？」

カスパルはおもむろに話し始めた。

「王政府が秘密裏《ひみつり》に進めているという例の都市ですね？」

ゼノフォンは顎《あご》に生えた無精髭《ぶしょうひげ》を指先でなでながら思案顔をする。

アンヘルも工場都市についての噂《うわさ》は知っていた。職人の間では公然の秘密として存在する都市の名だが、ゼノフォンが話した以上の情報は持ち合わせてはいない。王政府が箝口令《かんこうれい》を敷いているのか、どこに街を造っているのかさえも分からなかった。

「工場都市ってくらいだから、俺《おれ》たちにも関係があるんだろう？」

「いずれすべての工房が工場都市に拠点を移す。文字通りの工場都市となるって寸法だ。設備も工房《そこ》の比じゃねえから、今までにない画期的な武具ができるだろう」

「なるほど。そこでなら黒金竹も加工できそうですね」

ゼノフォンは指先で眼鏡を押し上げると、念仏でも唱えるかのようにブツブツとつぶやいた。

「黒金竹《あれ》も興味深い素材《そざい》だが、もっと面白《おもしれ》えもんが工場都市にはあるらしい」

「らしいって……。現物《もの》はないのかよ」

「ない」

カスパルは即答すると、さらに続ける。

「現物は用意できなかったが、現地に行く許可は下りた。自分の目で拝んでくるんだな」

「いつの間に都市《まち》は完成したのですか⁉」

興味があるのか、さっそくゼノフォンが話に食いついた。

「本格的な始動は先の話だ。だが見ておいて損はないだろう？」

「働くのは俺《おれ》らなんだけどな。コソコソと造る理由が分からん」

「何かと物騒な世の中だからな。念には念を入れてるんだろうよ」

「理由はそれだけですか？」

「それだけだな」

「嘘《うそ》でもいいから、もっとマシな理由をつけとけよ」

アンヘルは額に手を添えて唸《うな》り声《ごえ》を上げた。

「おめえが考えている以上に工場都市の役割は大きい。それゆえ、不測の事態に備える必要があるってわけだ」

「巨人《あれ》とか？」

「確かに巨人はとんでもねえ化け物だが、外に出なければ怖くないだろ？」

「恐ろしいのは人間、というわけですか」

合点がいったのか、ゼノフォンは何度か頷《うなず》いた。

「人間は誰《だれ》かさんのように悪知恵が働きますからね」

ゼノフォンはアンヘルをジロリと見やる。

「鉄壁を誇る壁も、内側からの攻撃は防げないというわけだ」

「テロ対策ってところか。なんとかに刃物って言うしな」

アンヘルはゼノフォンを横目でチラリと眺めた。

「工場都市は武器庫みたいなもんだ。反体制組織に押さえられたら国が転覆しかねん」

「最近では巨人を崇《あが》める物好きもいますからね」

「とにかくだ。そんな馬鹿《ばか》どもから守るために、工場都市の詳細は関係者にも明かされなかったってわけだ」

「俺たちはいいのか？」

「工房《うち》の二枚看板だ。問題はない」

「面倒事にまきこまれたりはしないだろうな……」

嫌な予感がしたが、ほぼ間違いなくそれは現実になるだろう。カスパルが話を持ってくるということは、厄介な仕事が待ち受けている証拠だ。

「ところで、工場都市にはどのように行けばよいのですか？」

「案内人《ナビゲーター》がいるから、そいつについて行けばいい」

「地図があればいいだろ？」

「察しが悪いな。私たちだけで行かせてもらえるわけがない」

「なんでだ？」

「今しがた説明したとおり、物騒な連中がいるからな。秘密を守るのと同時に、おめえらの身の安全を確保するってわけだ」

「いざとなれば俺《おれ》たちの口も封じれるし？」

「そういうこった」

「そこは否定しろよ……」

肩を落とすアンヘルに対し、カスパルは豪快に笑ってみせた。

「とにかくだ。おめえらの目で確かめてこい。ついでに向こうで武器の一つでも開発できれば万々歳だな」

「簡単に言ってくれる」

「俺がやるわけじゃねえからな」

アンヘルは苦笑した。

×　×　×

「君は黒金竹《くろがねだけ》をどう使う？」

工房長室を出たとたん、アンヘルはゼノフォンに話しかけられた。

「あれの加工は君とて簡単ではないはずだ」

「伐採するのも一苦労だっただろうな」

枝打ちですら何本もの刃物《ナイフ》が駄目になり、稈にいたっては切ることもままならない有り様だ。黒金竹を使った何かを考える前に、まずは加工するための工具と施設が必要だった。

「いっそ加工はやめて、そのまま兵団に卸すってのはどうだ？　短刀を携帯させるより、ずっと役に立ちそうだ」

「竹光《たけみつ》っぽいね」

「職人としては沽券《こけん》にかかわるけどな」

「工場都市に行けば、状況も少しは変わるかもしれません」

ゼノフォンは瞳《ひとみ》を爛々《らんらん》と輝かせた。興奮しているのか彼の鼻息は荒く、口は油でも注《さ》したかのように滑らかだ。

「君も工場都市には興味があるだろう？」

「これでも一応、職人だからな」

黒金竹という新素材《しんそざい》に加えて、工場都市が動き出そうとしているのだから、期待するのは当然だ。ゼノフォンとは会えば啀《いが》み合《あ》うような間柄だが、ひとまずそれを棚に上げるだけの価値はある。彼が目の上のたんこぶなのは事実だし、反りが合わないのも確かだが、職人としての腕は間違いない。その一点においてアンヘルはゼノフォンを信頼していた。

「まずは武器としての可能性を探るべきかな?」

「あの硬度は武器にしてくれと言ってるようなもんだ」

「確かにね」

「巨人の体に傷をつけることもできるかもしれない」

巨人の皮膚《ひふ》は人間と異なり容易には傷つかない。短刀が黒金竹《くろがねだけ》に対して無力であるように、巨人の皮膚は刃を受けつけず、たとえ傷を負わせたとしても数分で治癒するという驚異の快復力を有していた。巨人が倒せないと言われる理由の一つである。

(けど、どこまで信じていいのやら)

魔法でも使わない限り、怪我《けが》が瞬《また》く間に治るなどありえない話だ。

(あるいは本当の化け物か……)

どちらにせよ自分の目で確認しない限り疑問は解消されないだろう。

「黒金竹の葉にも利用価値がありそうだね」

「ちゃんと素材を料理できればの話だけどな」

「それは私たち次第、ということで」

「せいぜい竹光《たけみつ》にならないように努力しよう」

アンヘルは天を仰ぐしぐさをした。

「せっかくの興味深い素材です。工場都市に着くまでの宿題にしませんか？」

ゼノフォンは片手を上げると、ブツブツとつぶやきながら歩き去った。

「開発バカめ」

アンヘルは苦笑すると、黒金竹についてあれこれと思案しつつ歩き出した。

×　×　×

一番鶏《いちばんどり》の鳴き声が聞こえてきた。

菫《すみれ》色に染まる東の空は徐々に白《しら》み始めており、夜明けの到来を告げている。朝日が顔を覗《のぞ》かせるのも時間の問題だろう。外気は骨身に凍《し》みるほどの冷たさで、吐き出される息は蒸気のように白い。外套《マント》を羽織《はお》っていても寒さで震えがくるほどだ。

「工場都市が秘密なのは分かるけど、何もこんな朝っぱらに出発しなくても……」

アンヘルは欠伸《あくび》をすると、その場で大きく伸びをした。

興奮しすぎてなかなか寝付けず、まんじりともせず一夜を明かした結果である。身を切るほどの冷気が睡魔を追い払ってはいたが、少しでも気を緩めれば眠ってしまうだろう。

一方、同行者のゼノフォンは元気そのものだ。しかし、その目は酷《ひど》く充血している。十分な睡眠を取ったわけではなく、寝るのを諦《あきら》めたのかもしれない。

「都市の建造が公然の秘密だとしても、おおっぴらにはできないといったところかな」

「工場都市ってバレちゃってるんですか？」

あっけらかんとした感想を述べたのはコリーナだ。コリーナはアンヘルの助手として同行を許されていた。

「どれだけ情報を制限《コントロール》しても、人の口に戸は立てられないからね。反体制組織も情報くらいはつかんでいるだろう」

「政治屋がリークしてる可能性もあるだろ？　駆け引きの材料として使えそうだしな」

「金のなる木です。私たちの与《あずか》り知《し》らないところでイロイロとあるのではと」

「職人には関係ない話だけどな」

アンヘルは肩をすくめる。

王政府内で政治的な何かが起きていたとしても、アンヘルがどうこうできる問題ではない。政治にも興味はなかった。職人が成すべきことは最高の武具を開発することである。

(準備は万全だ。あとはアイデア次第だな)

背嚢《リュック》には武具の加工に必要な工具が詰まっており、素材である黒金竹《くろがねだけ》も持参している。

黒金竹はどうにか枝打ちし、一メートルの長さに切りそろえてあった。最低限の処理ではあるが、費やされた労力と駄目になった工具の数は先の大砲を超えるだろう。

(竹光《たけみつ》しか作れませんでした、なんて言えないよな)

そのような事態になればカスパルから大目玉を食らうだけではすまなくなる。

もっとも画期的な武具を作り出したとしても、それが採用されるかどうかは役人の胸三寸だ。政情にもよるだろう。高性能すぎて見送られるという笑えない可能性もある。

（巨人が倒されると困る連中もいるんだろうな……）

城郭都市の維持には外敵が不可欠だ。政治の駆け引き材料として巨人が使われているのは言わずもがなだろう。

（結局、割を食うのは俺《おれ》たちってわけか）

嘆息し、頭をかいたアンヘルは、コリーナの視線に気がついた。

「どうかしたのか？」

「襟《えり》がよじれてます」

コリーナはアンヘルの襟元に手を伸ばすと、めくれた襟を正した。

「もう少し身だしなみには気をつかうべきです」

「マリアみたいなこと言うなよ……」

「マリアさんなら、もっとチェックは厳しいと思います」

コリーナはにこりと微笑《ほほえ》むと、アンヘルの容姿に満足したのか一つ頷《うなず》いた。

「発明王殿も形無しといったところですね」

「うるさい」

アンヘルは口をへの字に曲げた。

日の出が秒読みに入っているのだろう。東の空が明るさを増してきた。

「お迎えが来たみたいですよ」

コリーナが薄暗い大通りを指差した。つられるようにそちらへと目を向けると、一台の幌馬車《ほろばしゃ》と四騎の騎兵が近づいてくるのが見える。

「噂《うわさ》の案内人《ナビ》だな」

兵が工場都市まで案内する予定になっていたが、まるで要人でも警護するかのような物々しさである。

「待たせたか？」

御者台で手綱を取っていたのは意外な人物だった。

「ソルム？　いつから御者に転職したんだ？」

「儲《もう》かるなら一考するが、今のところその予定はない」

ソルムはアンヘルたちの前で馬車を停《と》めると、荷車を指差した。

「乗り心地は保証しないが、現地までの安全は約束しよう」

荷車には幌《ほろ》が取りつけられているので天候の影響は受けないが、懸架装置《サスペンション》がないので地面の凸凹をダイレクトに感じることになるだろう。つまり揺れるということだ。

「酔い止めでも飲んでおくか」

アンヘルは溜《た》め息《いき》をつくと、背嚢《リュック》を荷車へと放《ほう》りこんだ。

×××

シガンシナ区と各街をつないでいるのは未舗装の街道である。石材の大半は『ウォール・マリア』の補修と補強にあてられており、道の舗装にまで資材を回せていないのが実情だ。もっとも主な移動手段が馬であるため、舗装されていなくても不便はなかった。

街道の中にも主要となるいくつかの道があり、シガンシナ区とトロスト区を結ぶ幹線道路は交通と交易の要である。トロスト区とは『ウォール・ローゼ』の南端に位置する街の名で、その構造はシガンシナ区と同様だ。『ウォール・マリア』が陥落した際には最前線になる場所だが、現状では内地なのでシガンシナ区ほど巨人を意識する場所ではない。

「本日の行程を簡単に説明する」

ソルムは馬車を進めながら話し始めた。

「まず我々はトロスト区を目指す。五、六時間の行程だ。到着するころには昼飯だな」

「食欲があれば、の話だろ」

アンヘルは吐き気をこらえてつぶやいた。

シガンシナ区を出発して三十分ほどだが、早くもアンヘルは乗り物酔いでノックアウト寸前だ。三半規管《さんはんきかん》に狂いが生じているのか、視界は酷《ひど》く揺らいでいる。吐かなかったのは上出来だが、この先も我慢できるとは限らない。同乗者であるゼノフォンとコリーナはアンヘルよりも重症で、真っ青な顔で呻《うめ》き声《ごえ》を上げていた。昼食の話は拷問と同じである。

「とにかくトロスト区で休憩を挟み、その後、工場都市へと向かう」

「どれくらいかかる？」

「数時間といったところだな」

「そりゃ最高だ……」

アンヘルは深い溜《た》め息《いき》をついた。

「しかし、なんでまた案内人《ナビ》に？」

「警護の一環だ。ナビゲーターという仕事があるわけじゃない」

「おまえに守られる日がくるなんて思わなかったな」

「本当は別の者が指揮を執るはずだったんだが……。オレは先の遠征で亡くなった班長の代わりというわけだ」

「班長って、もしかしてヒースのことか？」

「知ってるのか？」

「面識はないけど、ちょっとな」

潰《つぶ》れた頭と飛び散った脳味噌《のうみそ》は今も鮮明に覚えているが、それを話すつもりはない。ただでさえ乗り物酔いで気分は最悪なのだから、今以上に不快になる必要はなかった。

アンヘルは吐き気をごまかすため、半ば強引に話題を変えた。

「それはそうと、結婚式の日取りは決まったのか？」

「唐突《とうとつ》だな」

「ずいぶん前から話題になってるだろ？」

「そうだったか？」

「おいおい。あんまりじらしてマリアを泣かせるなよ？」

「分かってるさ」

　ソルムはキッパリと言い切った。

「調査兵団に解散の噂《うわさ》があるのは知っているか？」

「そんなの年がら年中だろ」

　アンヘルの指摘にソルムは苦笑いで応じる。

「今までとは少し状況が異なる。調査兵団は、まさに正念場《しょうねんば》だ」

「街の連中には、そこそこウケもいいだろ？」

「調査兵団の仕事は人気取りじゃない」

　ソルムは肩をすくめると、さらに話を続ける。

「政情が変わりつつある」

「どういう意味だ？」

「保守派が実権を握りつつある、ということだ」

「引きこもりの連中か」

「王政府は一枚岩ではない。革新派と保守派が常にせめぎ合っている」

「で、今は保守派に勢いがあると」

つまり現在は、巨人に奪われた土地は諦《あきら》め、壁の中で慎《つつ》ましやかに暮らしていくべきだと主張する者が王政府内に多いということだ。保守派の勢力が高まれば、壁外の調査を行う調査兵団は必然的に解散の危機に直面する。しかも調査兵団は結成から今にいたるまで特に成果を挙げていない。保守派が調査兵団を槍玉《やりだま》に挙げるのは当然で、彼らを黙らせるにはそれに見合うだけの結果が不可欠だった。

(工場都市の役目も変わってきそうだな)

造幣局を建てるとの噂《うわさ》もあるので、今後も都市の存在は秘匿《ひとく》され続けるだろうが、施設の規模は縮小される可能性が高い。

「巨人の首でも取ってくれれば、ずいぶんと状況も変わってくるんだろうな」

「できることなら、そうしたいが……」

「巨人は倒せない、か」

だが巨人も生き物である以上、弱点は必ず存在し、倒すことも可能なはずである。

(巨人の調査さえ許されれば、それを証明してやるんだけどな)

だがしかし、その許可が下りることはないだろう。巨人が倒せると分かれば状況は一変する。変化を恐れる者、特に保守派にとっては都合が悪いはずだ。

「調査兵団の一員として、何かしら結果を残したい」

「それが結婚に踏み切れない理由か」

「だから、おまえには期待している」

「俺《おれ》に？」

「工場都市が機能し始めれば、今までにない新しい武器が製造できるはずだ。それだけの設備が工場都市《あそこ》にはある」

「あまり期待されても困る」

　特にソルムとマリアの未来を背負うなど荷が重すぎた。アンヘルにできるのは武具を開発して兵に提供することだけである。それを用いて結果を残すのはソルムの仕事だ。

（新しい武器、か）

　アンヘルは黒金竹《くろがねだけ》を手にして思案に沈む。

　今のところ何も閃《ひらめ》かないが、とんでもない発明につながるはずだという根拠のない確信があった。黒金竹がそれだけの潜在性を秘めているという証拠だろう。

「けど、さしあたって俺に必要なのは……」

　アンヘルは体を横たえると、

「寝ることだよな」

　そう言って襲いかかる吐き気と戦い始めた。

× × ×

『ウォール・ローゼ』領内に入ったとたん、気温がぐんと下がった。『ウォール・マリア』よりも標高が高いためだ。標高は『ウォール・シーナ』に近づくほど高くなり、その領内に達するころには標高差は千メートルになる。季節にもよるが気温差なら五度ほどだ。

馬車は『ウォール・シーナ』へと続く幹線道路から脇道《わきみち》に入り、ひたすら北上を続けている。主要道から外れても『ウォール・シーナ』方面に向かっているのは変わらない。

「工場都市って、まだまだ先なんでしょうか?」

コリーナは挙手をすると、そんな弱音を漏らした。

いまだにコリーナの顔色は悪いが、出発直後に見せていた病的な青さではない。馬車の揺れに体が順応し始めているのだろう。それはアンヘルとゼノフォンも同じだが、乗り物酔いが改善された一番の理由は馬車の速度を落としたことにあった。もちろん、そのように頼みこんだのだ。ただそれと引き替えに到着予定時刻には大幅な遅れが生じている。

トロスト区を出発してから五時間になるが、工場都市の存在を示す建造物はいっこうに見えてこなかった。もっとも確認しようにも日はとっぷりと暮れている。先導する二名の兵が松明《たいまつ》で林道を照らしていたが、それは周囲を薄ぼんやりと浮かび上がらせるだけの頼りない明かりでしかなかった。あたりにはヒノキやアカマツ、スギといった針葉樹しか確認できず、街や村も近くにはない。人通りは皆無である。

「急げば二時間で到着だ。ただし今のペースなら倍はかかる」

ソルムは手綱を巧《たく》みに操りながら、獣道《けものみち》にも似た狭《せま》い林道を先へ先へと進んでいく。

「吐き気に耐えるか、それとも、というわけですか。残念すぎる二択ですね」

ゼノフォンはうんざりだと言いたげな顔をした。それはアンヘルも同じである。

「吐きすぎて干物になるのは御免《ごめん》だな……」

「だとしたら辛抱するしかない」

ソルムはつっけんどんに言うと、さらに続ける。

「この暗さでは速度は出せない。工場都市の見学も無理だろう。今のペースで進むのがベストじゃないか？」

ソルムの提案は愚痴《ぐち》だらけの面々を黙らせるだけの説得力があった。

「それじゃあ現地まで御者さんに任せて、俺《おれ》は一眠りするか」

アンヘルが寝転がろうとしたとき、発砲音とともに馬が嘶《いなな》いた。馬車に急制動がかかり、アンヘルたちは荷車の中でつんのめる。積みこんだ荷物が派手にぶちまけられた。

「何があった？」

アンヘルは体勢を立て直すと、御者台のソルムに声をかけた。

「頭を下げておけ。撃たれるぞ」

ソルムは腰に提げた信号拳銃《けんじゅう》を手にすると、銃口を頭上に向けて引き金《トリガー》を引く。解き放たれた信号弾はまっすぐ空を駆け上がり、闇《やみ》の中へと吸いこまれていった。

一瞬の静寂があたりを包みこむ。

上空で『白星』が破裂し、放たれた閃光《せんこう》が闇に閉ざされた世界を光で満たした。

(なんだ？　何が起きた⁉)

アンヘルは可能な限り身を低くすると、御者台から前方を見やる。

(あれは……)

十メートルほど前方で二名の騎兵が倒れているのが確認できた。馬車を先導していた兵である。どちらの胸も赤く染まっており、息絶えているのか身動《みじろ》ぎ一つしない。闇討《やみう》ちだったのか、二人に抵抗した様子はなかった。

「どうやら亡くなられたようですね」

「ああ」

応じるアンヘルの表情は硬い。気の毒だが、彼らの死を悼んでいる余裕はなかった。次の瞬間、自分が骸《むくろ》を晒《さら》していてもおかしくはない状況だ。否応なく緊張感は高まっていく。

「見てください。誰《だれ》かいます」

ゼノフォンが顎《あご》を使って前方を指し示した。そちらへと目をやると、兵の遺骸《いがい》から五十

メートルほど先に馬に乗った十名ほどの集団が確認できる。

「敵、なのか?」

賊か、それとも反体制組織か、隊商《キャラバン》でないことだけは確かだ。その証拠に彼らは短刀を手にしており、何名かは銃を所持していた。兵は彼らの凶弾に倒れたのだろう。

「大丈夫ですよね?」

心細いのかコリーナはアンヘルに身を寄せてくると、不安そうな目で見つめてきた。

(問題ない、と言ってやりたいところだが……)

この状況を不安に思っているのはアンヘルも同じである。励ましの言葉を口にできる心境ではないが、アンヘルは強引に笑みを浮かべると、コリーナの頭にポンと手を載せた。

「プロに任せておけばなんとかなる」

「人数的には圧倒的に不利ですけどね」

ゼノフォンは水をさすと、荷車の中に散乱した親指ほどの小瓶《こびん》をせっせとかき集めている。

「こんなときに何してんだよ」

「こんなときだからこそ必要な作業なんです」

ゼノフォンは真顔で告げるが、アンヘルには彼の意図が理解できなかった。小瓶の中身が何かは分からないし、知りたくもないが、体に悪影響をおよぼす薬品に違いない。

「ここいらに駐留している仲間はいないのか？」

アンヘルはソルムに声をかけた。

「信号弾は目に留《と》まっているだろうが、駆けつけるころにはけりがついている」

「応援は期待できないわけか……」

つまり覚悟を決め、自力で窮地《きゅうち》を切り抜けろということだ。

しかし気持ちは簡単には切り替わらない。戦闘という非日常の空間においては、なおさらである。

「巨人より人間のほうが恐ろしい。私の言ったとおりだったでしょう？」

ゼノフォンは大事そうに小瓶を抱えると、御者台から外の様子をうかがった。

「彼らは反体制組織だと思います。一般人は銃なんか持ちませんからね」

「巨人大好き連中かもしれないだろ？」

「巨人を崇《あが》めるならシガンシナ区と決まっています。内地にいるとは思えません」

「壁の向こう側に巨人様がいるからか」

「彼らの願いは一つだけ。つまり――」

「無駄話は終わりだ」

ソルムはアンヘルとゼノフォンの会話に割りこむと、それを強引に終了させた。

「強行突破する！　体を低くして揺れに備えろ‼」

ソルムは叫ぶや否や馬に鞭《むち》を打つ。馬は力強く啼《な》くと、猛然と荷車を引き始めた。

（最悪だ……）

車内は上下左右に激しく揺れ、地震でも起きたかのような状況である。上体を下げるようにと指示されたが、とても体を起こしてなどいられない。自然と床に伏せる体勢を取っていたが、小柄なコリーナだけは揺れに合わせて体を浮き沈みさせていた。

アンヘルがボールのように跳ねるコリーナの体をキャッチしたときだ。発砲音が鳴り響き、そのうちの何発かが幌《ほろ》に穴を開けた。

（このままじゃ、じきに蜂《はち》の巣になる）

速やかに手を打たなければならないが、荷車の中にいてはどうすることもできない。

馬車は突進するかのような勢いで林道を進んでいたが、それは敵も同じようだ。幌が視界を遮っているので戦況を正確に把握するのは難しいが、野獣めいた猛々《たけだけ》しい声とともに馬の足音が怒濤《どとう》の勢いで押し寄せてくる。

ほどなく戦闘が始まった。乱戦になっているのか、押し合い圧《へ》し合《あ》い、もみくちゃになりながら戦う様子がひしひしと伝わってくる。

「これはまずい状況ですね」

「私たち、どうなっちゃうんでしょう……」

刀が奏でる甲高い金属音があちらこちらで鳴り響き、そこに絶叫が幾重にも重ねられていく。思わず耳をふさぎたくなるが、揺れに対処するだけで精一杯だ。

だしぬけに幌が切り裂かれた。破れた箇所から風が勢いよく流入し、幌を捲《めく》り上《あ》げ、それを乱暴に剝《は》ぎ取《と》っていく。視界が開けたことで状況は一目瞭然《いちもくりょうぜん》になった。馬車は短刀を手にした敵にぐるりと囲まれており、逃げ場はどこにも見当たらない。

(護衛は？　味方はどこに⁉)

アンヘルは救いを求めて周囲に目を配る。

護衛は敵を追い払うべく善戦していたが、数で押されて対応しきれない状態だ。

敵の凶刃《きょうじん》がアンヘルに迫る。

「ひっ……」

敵と目が合ったとたん、アンヘルは瞳《ひとみ》の奥に宿る殺意に気づいて戦《おのの》いた。

日常生活で多少の害意を感じることはあっても、殺意を向けられるなど初めての経験だ。怯《ひる》むアンヘルに対し、敵は容赦なく短刀を振り下ろしてくる。

「う、うわっ」

アンヘルは無様《ぶざま》な悲鳴を放ちながら、思い切り上半身をのけ反らせた。目の前をぎらりと輝く刀身が通りすぎていく。少しでも対応が遅れていたら頭を割られていただろう。

「安全は約束されているはずでは？」

ゼノフォンは嫌味《いやみ》を口にすると、手にしていた小瓶の一つを敵に放《ほう》り投《な》げる。敵はあっさりとそれを避けるが、小瓶は地面に落ちることなく中空で破裂し、爆竹《ばくちく》にも似た破裂音と稲光のような光を放った。それ自体に殺傷力はなく、直撃しても火傷《やけど》程度ですむ花火のようなものだが、驚かすには十分だ。馬は前脚を跳ね上げて騎手の一人を振り落とした。

「手榴弾《スタングレネード》？　持ってきてたのか……」

「まさか。今しがた作ったばかりですよ」

「作った⁉」

「こんなときだからこそ必要だと話したでしょう？」

ゼノフォンはさらりと告げると、小瓶の蓋《ふた》を開けて調合を始める。

だが幌《ほろ》を失い、風と揺れの影響を受ける中で作業を行うのは至難の業だ。ましてや目の前には倒すべき敵がいるのだから、そもそも作業などできる環境ではない。案の定、ゼノフォンは調合をさせてもらえず、小瓶の中に収まっていた薬剤は風にさらわれていった。

ならばとゼノフォンは工具《レンチ》を手にしたが、敵と渡り合うにはあまりにも頼りない。実際、敵の一撃でレンチは宙を舞い、丸腰になったゼノフォンはあられもない悲鳴を上げた。

（武器だ……。武器がいる……）

大砲すら製造する武器製造のプロが丸腰では笑えない話だ。

アンヘルもゼノフォンと同じように散らばった素材を掛け合わせて武器を作ることはで

きるが、いかんせん状況が悪すぎた。武器は必要だが、今すぐ使えなければ意味がない。

（やるしかない……）

　このままでは殺されるのを待つだけだ。

　敵の攻撃に備えて体勢を立て直そうと床に手をついたとき、アンヘルの指先に何かが触れた。鉄の棒にも似たそれは、持参した素材の一つである。

「黒金竹《くろがねだけ》……」

　それを手にした瞬間、アンヘルは閃《ひらめ》いた。

（これを使えば――）

　黒金竹は下処理も満足に行っていないただの素材だが、それはアンヘルが知るどの武器よりも硬い。飛び抜けた硬度はそれ自体が武器として機能することを示していた。

　アンヘルは黒金竹の一つをゼノフォンに差し出した。

「竹光《たけみつ》ですらないけど、使えるだろ？」

「……枝打ちも立派な加工、というわけですね」

　ゼノフォンは黒金竹を受け取ると、さっそくそれを振り回し始めた。へっぴり腰で、素人丸出しの戦い方だが、レンチとは異なり打ち合いになっても引けは取らないようだ。

「これはいけますよ！　十分ですっ!!」

「ああ、そうみたいだな」

アンヘルも負けじと黒金竹を振るう。

棒術の心得はなく、戦闘も初めてだが、一メートルという長さは何かと有利に働いた。同じ長さの刀であれば重くて扱いづらいだけだが、黒金竹《くろがねだけ》はとにかく軽い。しかも敵は馬上だ。両手を自由に使えるアンヘルとは異なり、敵の片手は手綱でふさがれている。戦い方など知らなくても、それなりに渡り合えそうだ。

アンヘルは黒金竹を大上段に構えると、袈裟《けさぎ》切りの要領で斜めに振り下ろした。その先端は敵の肩を打ち据え、骨を粉砕していく。敵はもんどり打って馬から転がり落ちた。

それが反撃の狼煙《のろし》となった。敵は怯《ひる》み、それを好機とみるや兵は敵の直中《ただなか》に猛然と切りこんだ。彼らは敵を一人、また一人と薙《な》ぎ倒《たお》し、風向きは見る間に変わり始めた。

「飛ばすぞ！」

ソルムは馬に鞭《むち》を打ち、馬車を加速させる。遠方で応援とおぼしい信号弾が上がった。

二章

反体制組織の襲撃をしのいだアンヘルたちは、やっとの思いで工場都市にたどり着いていた。予定から数時間遅れでの到着である。日をまたぐほどの極端な遅れではないが、街を見て回る時刻でもなかった。工場都市は建設半ばであり、街灯も蛍火《けいか》のようにぽつぽつと確認できるだけだ。街は闇《やみ》の支配下に置かれており、見学どころか出歩ける状況ですらない。

全容が判然としないせいか工場都市の印象は皆無《かいむ》に等しかった。日中であれば感想の一つも口にしたのだろうが、アンヘルの胸中に去来《きょらい》したのは生きて到着できたという安堵感《あんどかん》だけだ。街の様子や工場の設備についての興味は頭からすっぽりと抜け落ちている。馬車で激走しているうちに、やる気の類《たぐい》を残らず道端に落っことしてきたのかもしれない。とにもかくにも必要なのは安心して眠れる寝床であり、それさえあれば何もいらないと断言できるほど疲労困憊《ひろうこんぱい》だった。実際、到着後すぐに向かったのは宿泊施設である。

それでも一つだけ強く印象に残ったことがあった。

音だ。正確には水音である。雨音でもなければ川のせせらぎでもない。近くに滝でもあるのだろう。膨大な量の水が轟々《ごうごう》と流れ落ちる様《さま》が目にありありと浮かんできた。

その水音は室内にいても聞き取れるほどで、豊富な水量を誇っているのは確実である。シガンシナ区を潤《うるお》す水源の一つだろう。そう考えると感慨《かんがい》深くもあるが、残念なことに今のアンヘルには眠りへと誘う子守歌程度にしか感じられなかった。

×　×　×

宿泊施設の一階は食堂を兼ねた休憩室《ラウンジ》になっており、百名ほどが収容できる室内は多くの人で賑《にぎ》わっていた。その大半はアンヘルと同じ職人だ。彼らは仲間内でまとまり、思い思いの話題で盛り上がっている。

工場都市には同様の宿泊施設が何棟も建てられており、アンヘルたちが滞在する建物は見学客に用意された施設だった。一週間程度の短期滞在を想定して建てられているため設備はきわめて簡素だ。室内もシンプルで、ベッドがでんと据《す》えられているだけである。

問題は食堂でありながら食事の世話をする者が見当たらないことだろう。代わりに箱詰めにされた缶詰がうずたかく積まれていた。

「朝から缶詰ってのはどうなんだろうな」

アンヘルはテーブルに並べられた缶詰を眺めながら溜《た》め息《いき》をつく。

（名物なんか期待してなかったけど、それにしてもこれは……）

豪勢な食事を要望するつもりはないが、せめて温かい食事を口にしたかったのである。

前日は吐くばかりでろくに食べていなかったのでなおさらだ。

「無料《ただ》で食べられるわけですし、贅沢《ぜいたく》は言えないかなぁと」

コリーナはアンヘルをいさめると、缶切りを駆使《くし》して缶詰を淡々と開けていく。

（肉、豆、魚、あとは干した果物か）

缶詰であるという点を除けば、わりと種類は豊富だ。有事に備えた食料だろう。

(消費期限は怪しそうだな……)

異臭はしないので腹を下したりはしないだろうが、味には目をつむるしかなさそうだ。

「野戦食《レーション》は食べたことあるか？　あれと比べれば缶詰《これ》は御馳走《ごちそう》だぞ？」

ソルムは刃物《ナイフ》で缶詰の蓋《ふた》をこじ開けると、その切っ先にぱさついた肉を突き刺した。

「馬上でも食べられるように作られた代物だが、味も素っ気《そけ》もない上に石みたいに硬い」

「缶詰も一手間を加えればおいしくなりますよ」

ソルムが不満を口にする側で、ゼノフォンは例の小瓶《こびん》で何やら作業を行っている。

「何やってんだ？」

「調理ですが？」

ゼノフォンはしれっと話すと、皿の上で薬剤の調合を始めた。

「爆発しないだろうな？」

「そのようなヘマをするとでも？」

ゼノフォンは小瓶の蓋を開けると、その中の液体を皿に盛られた粉末へと振りかけていく。するとそれは魔法にでもかけられたかのように青白い炎を上げ始めた。

「固形燃料の代わりですね。どうですか、皆さんも？」

ゼノフォンはニヤリと笑うと、自らが起こした炎で肉を炙《あぶ》る。

「遠慮しておく」

温かい食事を欲していたアンヘルだが、とても利用する気持ちにはなれなかった。薬品に劇毒物が含まれていたら腹痛程度ではすまないだろう。

「信号弾に使われている薬品ですよ。薬剤を変えれば『赤星』や『緑星』、『黄星』になるわけです。もっとも発光するのは『白星』だけで、それ以外は狼煙《のろし》みたいなものですが」

「『白星』と言えば、昨日の連中はどうなったんだ？」

アンヘルは薄い塩味がついた煮豆を口に放《ほう》ると、ソルムに話を振った。

「奴《やつ》らなら憲兵団に引き渡した。反体制組織の構成員で間違いなさそうだ」

「しかし襲われるとは思わなかったな……。なんのメリットがあったんだか」

「工場都市の特定か、あるいは職人の拉致《らち》か」

ソルムは苦笑いすると、さらに話を続ける。

「なんにせよ兵が詰めている限り、工場都市《ここ》が敵の手に落ちることはない」

「自信満々だな」

「当然だ」

「ちなみに反体制組織の構成員は、大半が地方の人間らしいよ」

会話に割りこんできたのはゼノフォンだ。

「この国には地図にすら載せてもらえない寂れた村がいくつもあります。彼らに言わせれば、これも贅沢品《ぜいたくひん》ではないでしょうか」

そう言ってゼノフォンは缶詰を指差した。

「私たちは恵まれているんですね」

「特にシガンシナ区は税制面で優遇されてるからな。不公平感はありそうだ」

反体制組織が結成された理由はそれだけではないだろうが、飢えが心と体を貧しくするのは確かだ。積もり積もった不平不満の集大成が組織の正体と言えるのかもしれない。

「あいつらの処遇は憲兵団に任せるとして――。ずいぶんと詳しいじゃないか。何かいかがわしい接点がありそうだな」

アンヘルはゼノフォンを一瞥《いちべつ》する。

「あからさまな濡《ぬ》れ衣《ぎぬ》を着せるのはよしてください」

「どうだかな。憲兵団に二、三日も預ければ、あることないこと自供《ゲロ》するんじゃないか？」

「ないことまで話してどうする……」

ゼノフォンは憤慨した。

×　×　×

工場都市はアンヘルの想像を大幅に超えていた。村程度だと考えていたのだが、その広さはシガンシナ区と同程度であり、将来的には五万人の生活を見こんでいるという。街には職人とその家族が暮らす居住区の他《ほか》に、彼らの生活を支える商業施設や歓楽街も用意されていた。工場施設の充実ぶりは言わずもがなだ。街の機能がシガンシナ区の上をいくのは確実だが、施設の大半は建築中である。工房が拠点《きょてん》を移すのは今しばらく先の話になるだろう。

「しかし、すごい眺めだ」

アンヘルは街の北端に位置する大瀑布《だいばくふ》と、その背後にそびえる山へと目を向けた。

滝は幅五百メートル、落差百メートルにもおよび、水量も豊富だ。その勢いは鉄砲水さながらであり、人が御《ぎょ》せるものではないが、滝が生み出す水力は工場都市の肝だった。この場所に街が作られたのも水力《それ》を見越してのことである。

工場都市で目を引くのは大瀑布だけではない。その中心部には陸標《ランドマーク》とも呼ぶべき巨大な建築物がそびえていた。

「あれが製鉄所か。とんでもないな……」

製鉄所のシンボルである高炉は五十メートルもの高さを有しており、街を象徴する建物となるのは確実だ。滝が作り出したエネルギーの大半は高炉によって消費され、設備や銑《せん》鉄《てつ》の冷却には滝が吐き出した水が用いられるのだろう。工房でも鉱石を製銑《せいせん》し、銑鉄を取り出すことは可能だが、工場都市の規模は桁違《けたちが》いである。

「やっぱり大きさが違います」

コリーナは目を丸くすると、巨大な高炉を仰ぎ見た。

「工房《うち》の十倍はありそうだ」

「つまり生産量も十倍ってわけですよね」

「大砲を作るとき高炉《こいつ》が使えていれば、もっと楽に納入できたんだろうな」

工場都市の高炉であれば、大規模な発注に対しても無理なく対応できるだろう。仕事にストレスを感じなくなり、作業にも集中できるはずだ。

（一元化するメリットは大きそうだ）

あれがない、これがない、時間もないと、ないないづくしで嘆《なげ》くこともなくなるだろう。

「火入れは終わってるみたいですね。石炭が真っ赤に燃えてます」

覗《のぞ》き穴から炉の底を観察すると、赤銅色をした燃料が膨大な熱を放っていた。

「あれは石炭じゃなくて骸炭《コークス》だ」

「骸炭？」

「石炭を蒸し焼きにして純度を高めたものです。発熱量が高いので製鉄には欠かせません」

「工房で使ってるのは石炭だけどな」

アンヘルは苦笑いする。

「どうだ、何か着想は得られそうか？」

ソルムが声をかけてきた。

「高炉の性能は十分だし、転炉を使えば新しい合金も精錬できると思う」

ただそれが武具のアイデアにつながるかは別の問題だ。

「そう言えば工場都市には黒金竹《くろがねだけ》より面白い素材があるんだろ？」

「氷爆石《ひょうばくせき》のことか？」

「ひょう……なんだって？」

「氷爆石だ。工房長から何も聞いていないのか？」

「まったく」

アンヘルは嘆息しつつ肩をすくめる。

「石ってくらいだから希有金属《レアメタル》の類《たぐい》か？」

「……本当に何も知らされていないんだな」

「説明するのが面倒だったんだろ」

カスパルが何を考えているのかは知りようもないが、現地で驚くアンヘルの姿を想像して密《ひそ》かにほくそ笑んでいるのかもしれない。

「ひょー爆石って、どんな性質があるんですか？」

新しい素材に興味があるのか、コリーナが目を輝かせた。

「では製鉄所はこのへんにして、採掘現場に移動するか」

ソルムの提案にアンヘルとコリーナは同意するが、ゼノフォンは思うところがあるのか思案顔で高炉を見つめ続けている。

「私は製鉄所に残ることにします」

「氷爆石《ひょうばくせき》はいいのか？」

「ええ。そちらは貴男《あなた》に任せましょう。私は高炉で実験を少々」

何か閃《ひらめ》いたのか、ゼノフォンは悪戯《いたずら》を思いついた子供のような表情を浮かべた。

（まあ、おおよそ見当はつくけど）

高炉を使った実験など一つしか考えられない。

（黒金竹で何を作るのか見物《みもの》だな）

炉内で黒金竹が生まれ変わる瞬間に立ち会ってもよかったが、ゼノフォンのお楽しみを奪う趣味はない。結果だけ報告を受ければ十分だ。黒金竹に未練がないと言えば嘘《うそ》になるが、アンヘルの興味は早くも氷爆石へと向けられていたのである。

×　×　×

工場都市の存在が徹底的に伏せられているのは、そこが唯一無二の施設だからである。国内に滝は数あれど大瀑布《だいばくふ》は工場都市《ここ》にしか存在しないため、失陥して敵の手に落ちるような事態になれば国が転覆しかねないというわけだ。

滝が生み出す水力は膨大かつ無尽蔵《むじんぞう》であり、それに匹敵するエネルギーは見つかっていない。工場都市には造幣局の建設も予定されているため、この場所を王政府が特別視しているのは疑いようがなかった。将来的には政治の上でも重要な役割を担うに違いない。

　工場都市が秘匿《ひとく》される理由としては十分だが、それは表の顔でしかなかった。

「で、今から行くところが裏の顔ってわけだ」

　アンヘルは目の前にそばだつ岩壁を見つめた。

　街の北端に位置するその場所は、一見すると滝しか見所がないような印象である。だがそれに占拠されているわけではなく、その端には切り立った崖《がけ》がそびえており、ソルムが連れてきたのはそこだった。もっとも彼が見せたかったのは岩壁ではなく、そこにぽっかりと口を開けた風穴《ふうけつ》である。

　コリーナは風穴の開口部から中を覗《のぞ》きこんだ。

「わりと広そうです。どこまで続いてるんですか?」

「正確なところは不明だ。ただ脇道《わきみち》も多いから、迷子になったら生きては戻れないだろうな」

「完成度の高い屍蠟《しろう》ができそうだ。松明《たいまつ》の代わりになるんじゃないか?」

「私は蠟燭《ろうそく》も木乃伊《ミイラ》も嫌です……」

「オレたちには文明の利器があるから、死者を愚弄《ぐろう》せずにすむぞ」

ソルムは手にしたランタンを掲げると、ガラス製の火屋《ほや》を外し、灯芯《とうしん》に火を点《つ》けた。

「燃料はどれくらい持つ？」

「半日だな。氷爆石《ひょうばくせき》を見るだけなら三十分で事足りる」

「迷子になる前に帰れそうだな」

「おまえが素材にかぶりつきになるかもしれないだろう？」

「否定はしないでおく」

新素材を前に興奮しない職人はいない。ソルムが危惧《きぐ》しているのは、そういうことだ。

「工房にも見本《サンプル》がありませんでしたけど、ひょー爆石ってそんなに貴重なんですか？」

「いや、山ほどある」

「それなら一個くらい用意してくれても……」

「触れてみれば分かるさ」

ソルムは断言すると、ランタンを手に風穴へと入っていく。

アンヘルとコリーナもそれに続いた。

×　×　×

洞窟《どうくつ》は凍えるほどの寒さだった。

もとより標高が高く、肌寒さを感じるほどだが、洞窟内《どうくつない》はまるで氷室だ。気温は氷点下に近いため、長居するには防寒対策が不可欠である。つまり着の身着のままに近い今の装備では、長居したくともできそうになかった。

岩窟《がんくつ》でできた足場は悪く、染み出た地下水で凍結したのかつるつるとよく滑《すべ》る。路面凍結《アイスバーン》にも似ているが壁や天井も凍りついており、氷の洞窟《どうくつ》といった様相である。ランタンの光を浴びて乱反射する世界はずいぶんと幻想的だ。洞窟は地下へと向かっており、奥へ行くほど広さが増していく。脇道《わきみち》もあり、迷ったら生きて戻れないと話したソルムの話に嘘《うそ》はなさそうだ。

「見えてきたぞ」

ソルムは立ち止まると、手にしたランタンを掲げた。

「こいつはすごいな」

眼前に見えてきたのは、だだっ広い大空洞と地底湖である。あまりにも広すぎてランタンでは全容を明らかにできないが、開けた空間が存在するのは間違いなかった。

「もとはカルデラってやつだったらしい。お偉い先生の受け売りだがな」

「目の前の湖《あれ》はカルデラ湖《こ》ってわけか。なるほどな」

「でも水にしてはちょっと……」

コリーナは湖の袂《たもと》まで歩いていくと、腰を屈《かが》めて湖面に触れた。

「凍ってますよ。かっちかちです」

「水のように見えるが、あれは氷じゃない」

「氷じゃない？」

アンヘルはコリーナに倣《なら》って湖面に指をつける。見た目も手触りも氷そのものだ。

「氷だろ？」

「いや、違う」

ソルムは腰に提げた短刀を抜くと、その切っ先で湖面を突く。氷はたやすく砕け、ソルムは親指の先ほどの欠片《かけら》を拾い上げた。

「氷爆石《ひょうばくせき》だ」

「これが？」

アンヘルはソルムが手にした氷爆石をまじまじと眺める。

「石ころと間違えてないか？」

実際、その程度の存在感しか感じられなかった。

「面白いものを見せてやる」

ソルムはランタンを地面に置いて火屋《ほや》を外すと、刀身の先に氷爆石を載せて火に近づけていく。するとそれは青白い炎を上げて緩やかに燃え始めた。

「これは……」

「氷が燃えてます！」

コリーナは目を瞬かせた。

「オレには難しくてよく分からないが、地下から漏出したガスが凍ったものらしい。ここには莫大《ばくだい》な量の氷爆石が眠っているそうだ」

「つまりここは宝の山ってわけか」

「見本がない理由も、よく分かりました」

自分の目で拝んでこいと話したカスパルの話も今なら納得できる。目の前でガスを噴霧《ふんむ》されてもピンとこないはずだ。

「採掘は始まってないのか？」

「氷爆石《これ》は発見されたばかりだ。ガスの抽出や保管方法も確立されていない」

「つまり私たちの出番というわけですね！」

コリーナは細い腕に力こぶを作ってみせた。

「ガスを使った何か、か……」

ガス銃《じゆう》、火炎放射器、爆弾など、ありきたりな武器の数々がアンヘルの脳内を通りすぎていく。

（威力さえあれば、それもありかもしれない）

だが相手は砲弾すら効かない化け物だ。銃器など豆鉄砲程度の効果しか期待できないだろう。下手に刺激して巨人を怒らせるのも都合が悪かった。

（巨人に感情があれば、の話だが）

なんにせよ今までにない武器を創出する必要があるのは確かだ。

(火炎放射器はいけるかもしれないな)

刃を受けつけない巨人の皮膚《ひふ》も、炎で炙《あぶ》れば爛《ただ》れるかもしれない。

(いや、難しいか……)

一瞬で巨人を焼きつくし、塵《ちり》に変えるほどの圧倒的な火力ならともかく、火傷《やけど》程度では倒せはしないだろう。ガス灯《とう》でも作ったほうが世のため人のためになりそうだ。

アンヘルは口をへの字に曲げて唸《うな》り声《ごえ》を上げる。

「――な、言ったとおりだろう」

ふと耳に飛びこんできたその声に、アンヘルの思考はふっつりと途切れた。

「なんの話だ?」

「おまえが開発バカだって話だよ」

「本当にかぶりつきになるとは思いませんでした」

「悪かったな、開発バカで」

アンヘルはフンッと鼻を鳴らすと、地面に転がっている氷爆石の欠片《かけら》を見つめた。

「使い道はありそうか?」

「黒金竹《くろがねだけ》と違って一筋縄ではいきそうもない」

「試行錯誤したほうが面白い物ができますよ」

「そう願うよ」

アンヘルは掌《てのひら》の上で氷爆石《ひょうばくせき》を転がした。

「どうする？　いったん戻るか？」

「それがいい。手ぶらじゃ何もできないしな」

「次は防寒具も用意しないと」

コリーナは自分の体に腕を回して体を震わせる。

「氷爆石《これ》は持ち出してもいいのか？」

「残念だが持ち出せない」

「なんだよ。お偉いさんが独り占めでもしてるのか？」

「そういう意味じゃない。それを持ち出そうとすると――。ボン！　ってわけさ」

ソルムは大仰なしぐさで手を打ち鳴らした。

「爆発するんですか⁉」

「常温になると膨張《ぼうちょう》して爆発する。氷爆石と言われる所以《ゆえん》だな」

「ガスの抽出には一工夫いるわけだ」

利用価値が高いにもかかわらず採掘が始まっていないのは、氷爆石の性質が原因のようだ。

「とにかく戻ろう。工具がないと始まらない」

アンヘルは氷爆石《ひょうばくせき》の欠片《かけら》を放《ほう》り投《な》げた。

×　×　×

氷爆石から取り出せるガスの量は想像以上に多いようだ。気化させることで体積は二百倍にまで膨れ上がるため、うまく利用すれば生活に劇的な変化を起こせる可能性があった。ガスを輸送するための容器《ボンベ》さえ用意できれば、すぐにでも利用できるだろう。

「問題は何に閉じこめるかだな」

アンヘルは氷爆石の欠片を眺《なが》めながら思案に沈む。氷爆石の膨張率を考えるとボンベにも強度が求められるだろう。量を減らせば破裂は免れるだろうが効率的ではない。

「ボンベの設計が必要だな……」

「それもいいですけど、まずは腹ごしらえをしませんか?」

コリーナは宿泊施設から持ってきた缶詰の蓋《ふた》を開けると、氷爆石を燃やしてそれを温め始めた。

「なるほど。それも氷爆石の使い方の一つだよな」

「温かい食事は心を豊かにするんですよ」

「ついでに閃《ひらめ》いてくれると言うことなしなんだが」

アンヘルは苦笑すると、湯気を放ち始めた缶詰へと目を落とす。

それは朝食時にも食べたまずい煮豆だが、体が冷え切っているせいか不思議と御馳走《ごちそう》に見えた。ゆらゆらと立ち上る湯気が幻を見せているのかもしれない。

「氷爆石を武器として見るのは間違っているのかもな」

「黒金竹《くろがねだけ》のほうが向いてそうですね」

「ゼノフォンが黒金竹《あれ》をどう料理するか見物《みもの》だが、十中八九、短刀だろうな」

「兵団の支給品に取って代わるわけですね」

「軽くて硬い。申し分ないな」

反体制組織との戦闘で黒金竹の性能は立証されていた。

「一つ質問してもいいですか？」

コリーナは挙手すると、アンヘルの顔色をうかがいながらおずおずと口を開いた。

「なんで職人っていう道を選んだんですか？」

「妙な質問だな」

「だって楽な仕事じゃないですし、それに……」

「給金も安い、か」

アンヘルは機先を制して苦笑いする。

「賃上げ要求なら、俺《おれ》も一枚嚙《か》むぞ？」

「あ、いや、そういう意味じゃなくてですね。でもまあ賃上げは嬉《うれ》しいですけど」

コリーナは素直に認めた。

「俺《おれ》が職人になったのは、子供のころに交わした約束があるからだ」

「約束、ですか？」

「ソルムとマリア。あいつらと交わした約束だ」

物心がついたとき、すでにアンヘルは天涯孤独《てんがいこどく》の身だった。両親が誰《だれ》かは分からない。名前も知らなければ生死も不明で、それは親類縁者も同様だった。アンヘルの名付け親は孤児院の院長である。傍目《はため》には不幸な境遇のアンヘルだが、気づいたときにはそのような身の上だったので、孤独は特に感じなかった。むしろ歳《とし》を重ねた今のほうが、あれこれと思いをめぐらせる機会は増えている。ただ顔すら知らない相手なので、両親について調べるつもりはない。もし生きていたとしても血のつながった他人でしかなく、会っても気まずいだけだろう。生みの親より育ての親というわけだ。

アンヘルが捻《ひね》くれもせず健やかに育つことができたのは、孤児にしては環境が良好だったおかげだ。衣食住に困らず、親代わりまでいたのだから、恵まれていたと言えるだろう。特に寝食を共にした仲間の存在は大きく、歳が近かったソルムとマリアとは兄弟のような間柄だった。それぞれの立ち位置は明快だ。体がガッシリとしていたソルムは兄のような存在で、しっかり者のマリアは姉、アンヘルは手のかかる弟といったところである。

「子供《ガキ》の時分にソルムが言ったんだ。壁の外はどうなってると思う？　ってさ」

「ソルムさんって子供のころから調査兵団に興味があったんですね」

「興味っていうより手段だろうな。今のところ壁外《そこ》に行く唯一の方法だから」

「調査兵団って狙《ねら》って入れるようなものなんですか？」

「どうかな。でも簡単じゃないはずだ」

「意志が強かったんですね」

「腕っ節も強かったけどな」

アンヘルは苦笑いする。

「あいつが調査兵団に入るって言い出してからが大変だったんだ。マリアが猛反対してさ」

「そりゃそうですよ。死ぬ可能性だってありますし」

「マリアはずいぶんと説得してたけど、ソルムも頑固だから折れないし。だから俺《おれ》はソルムの夢をかなえてやろうって決めたんだ」

「それってマリアさん大激怒だったんじゃ……」

「そりゃ怒ったさ。でも怒ったところでソルムの気持ちは変えられないだろう？　だったらソルムが無事に帰還できるようにすればいい」

「それが職人になることだったんですね」

コリーナは納得したのかポンと手を叩《たた》いた。

「巨人さえ倒せるようになれば、遠征からの生還率も上がるからな」

「マリアさんの心配の種もなくなりますね」

「一石二鳥ってわけだ」

「じゃあマリアさんが駐屯兵団に入ったのは、ソルムさんが帰ってくる場所を守るため？」

「そんなとこだ」

コリーナの問いにアンヘルは頷《うなず》いてみせた。

「なんだかいいですね、そういうのって」

「それはさておき、本題に戻ろうか」

昔話に気恥ずかしさを覚えたアンヘルは、速やかに話題の転換を試みた。

「見ていて思ったんですけど、氷爆石《ひようばくせき》って形があるようで実はないんですよね」

コリーナは青白い炎を上げて燃え盛る氷爆石を指差した。

「燃料としては優秀だが、武器にはなりえない、か」

「でも動力源にはなりますよ」

「ストーブとか？」

「それはあると嬉《うれ》しいかも」

コリーナはニコリと笑いながら話を続ける。

「工場都市が水力を利用しているように、ガスも何かを動かすための動力になりそうで

「その何かが問題なんだけどな」

アンヘルは苦笑する。

「たとえばですよ。巨人と対等に戦うための装置があったとして、それを動かすための燃料として使うとか」

「巨人と対等に戦うための装置？」

「たとえばの話です」

「じゃあ、たとえばだ。人間が巨人と対等に戦うためにはどうしたらいいと思う？」

「えっと～。巨人って、どんな姿をしてるんですか⁉」

「人間が巨大化したと思えばいいんじゃないか？」

コリーナは「うーん」と唸《うな》り声《ごえ》を上げる。

「想像だが、巨人の体長は五、六メートルくらいだと思う」

「見たわけじゃないですよね？」

「姿は確認できなくても足音は聞こえたからな」

アンヘルは先日の凱旋《がいせん》でそれを耳にしていた。

（とんでもない大きさなのは間違いない）

地面が微《かす》かに鳴動《めいどう》していたことからも、それは明らかだ。

「つまり見た目に限って言えば、人間と巨人の違いは大きさになるわけで……」

コリーナは眉間《みけん》に縦皺《たてじわ》を作りながらぶつぶつとつぶやく。言葉にすることで思考を整理しているのだろう。

「戦闘時は高い位置に陣取ったほうが何かと有利なんですよね」

「よく聞く話だよな」

「巨人にも同じ理屈が当てはまるかもしれません」

「巨人は高所から攻撃しているようなものってことか」

「人間は分が悪そうです」

巨人からしたら、人間など足下でじゃれつく子犬程度にしか感じないのかもしれない。

「それを補う装置さえあれば、人間も巨人に抗《あらが》えるってことだよな」

「はい」

「なんとなく方向性は見えてきたな」

「ようするに、不利な状況を改善する何かしらの装置を作ればいいんですよね」

「言うだけなら簡単だけどな」

「そのへんは大丈夫です」

何か根拠でもあるのか、コリーナは胸をポンと叩《たた》く。

「自信がありそうだな」

「考えるのは私じゃないですから」

「工房長《オヤジ》みたいなこと言うなよ……」

アンヘルは苦笑しつつ頭をかいた。

「少しはお役に立ちました？」

「ああ。いろんな意味で才能あるな」

「誉《ほ》め言葉として受け取っておきます」

コリーナは満足そうに微笑《ほほえ》んだ。

×　×　×

その日の夜。

アンヘルとゼノフォンは夕食時に互いの成果を報告し合った。

「――と、氷爆石《ひょうばくせき》についてはそんなところだ」

アンヘルは氷爆石の利用法と可能性について語ると、携帯用の焜炉《こんろ》をテーブルに載せた。

「で、焜炉《これ》はついでに作ってみた。もとはコリーナのアイデアだけど」

「これが燃料です」

コリーナは缶を取り出すと、それを焜炉にセットした。

「洞窟内《どうくつない》って寒いだろ？　寒いところで温かい飯を食うと美味《うま》いんだ」

そう言ってアンヘルは焜炉《こんろ》に火を点《つ》けた。

「燃料は氷爆石《ひょうばくせき》なんですよ。空き缶に入れて溶接しただけですけど」

「大量に輸送するには専用の容器《ボンベ》が必要だな」

「ついに私の薬品もお役御免《やくごめん》になりそうですね」

ゼノフォンは顎髭《あごひげ》をなでながら唸《うな》り声《ごえ》を上げる。

「もともと役に立ってないだろ……」

アンヘルは溜《た》め息《いき》をつくと、焜炉の上に缶詰を置いた。

「ところで、そちらの成果は?」

ソルムが問うと、ゼノフォンはテーブルに金槌《かなづち》を置いた。

「黒金竹《くろがねだけ》から抽出した金属を加工するには、それなりの工具が必要なわけでして。いきなり武器を作るのは無理がありすぎました」

「だから金槌か。なるほどね」

なんの特徴もない金槌だが、驚くほど軽い。女性でも容易に使いこなせる重さである。

(さすが黒金竹ってところか)

使用感は分からないが、おそらく硬度も十分だろう。

「抽出した金属を金槌《これ》で叩《たた》いて鍛えれば、すばらしい武器ができるでしょう」

「まあ頑張って研いでくれよ」

黒金竹の硬さを考えれば、それがいかに大変な作業かは想像に難《かた》くない。

「あ、そうそう。金槌以外にも、こんな物ができました」

ゼノフォンは白骨化した小魚のような物を取り出した。

「ゴミか？」

「おっと。それは実に心外な感想ですね」

「じゃあ、なんだよ」

「お気づきになりませんか？」

ゼノフォンはしてやったりとばかりにニヤリと笑う。

「これは黒金竹の葉っぱです」

「黒金竹の⁉」

よくよく観察すると白骨化した小魚ではなく葉脈の形だと分かる。

「葉を溶かすと繊維だけが残るようです。若干、温度の微調整は必要ですが」

「戦闘服でも作るんですか？」

コリーナは黒金竹の葉を指先でつまむ。

「残念ながら裁縫の心得はありません。しかし心に留《と》めておきましょう」

「初日だというのに、ずいぶんとアイデアが出たな。さすが工房の二枚看板」

ソルムは素直に感心していたが、職人としての力量が試されるのはむしろこれからだ。

「アイデアだけで許してくれるほど、うちの工房長《オヤジ》は優しくないんだよな」

いくら性能がよくても製造原価《コスト》が高ければ実用化は見送られる。構造が複雑すぎれば量産には向かない。試作品の完成は始まりにすぎず、そこからの試行錯誤《しこうさくご》こそが職人としての本番だった。

「どうせ手ぶらじゃ帰れないし、せいぜい頑張るとするか」

アンヘルは缶詰に目をやると、その中で躍《おど》る豆に手を伸ばした。

×　×　×

巨人との差を縮めること。

それが巨人と対等に渡り合うための近道であるとアンヘルは結論づけた。

アンヘルが実現を目指す装置は、巨人との差の一つを埋めるための代物である。具体的には高さだ。体格に恵まれた調査兵団の兵でさえ、巨人の前では赤子に等しい。調査兵団は巨人の足下で戦わざるをえず、最悪、踏みつぶされて終わりだ。しかし装置が実用化すれば、巨人と同じ目線に立つことができる。戦術も激変するだろう。

技術では越えられない壁もいくつか存在するが、アプローチの方法を変えることで対応できるだろう。たとえば巨人のような回復力を機械で再現しろと言われても無理な話だが、それを上回る強力な武器を作れば得られる結果としては同じである。巨人の生態が分からないのは都合が悪いが、調査兵団が結果を残すことで状況も変わっていくはずだ。

アンヘルは巨人の姿を思い描くと、装置の姿を夢想した。

×　×　×

装置の開発には越えるべき技術的なハードルがいくつもあった。今までにない奇抜な装置であるため、参考にできる機器《もの》が何もないためだ。部品はすべて手作りの一点物であり、手間暇《てまひま》がかかる上に調整も難しい。とにかく試行錯誤《トライアンドエラー》の連続で、寝る間もないほどである。

アンヘルは一週間という短い滞在期間の大半を装置の製作に費やし、試作品が完成したのは宿泊施設を引き払ったあとだった。

「で、試行錯誤の末にできたのがこの《装置》というわけだ」

《装置》の試作品を身につけたアンヘルは、皆の奇異な視線を一身に集めていた。

背には空き缶を連結させた不格好なボンベを背負い、腰には開発した《装置》の本体がウエストバッグよろしく取りつけられている。

（ちょっと恥ずかしい姿だよな……）

それはアンヘルも認めるところだが、装備はそれだけではない。左の脇《わき》の下にはガンホルダーまで提げていた。ただそこに収まっているのは銃ではなく《装置》を動かすための操作装置《コントローラー》だ。操作装置《それ》は見た目こそ銃に近いが、発射されるのは弾丸ではなく黒金竹《くろがねだけ》で作った鋭利なアンカーで、そこには鉄線《ワイヤー》が取りつけてあった。

「ずいぶんと重装備ですね」

ゼノフォンは珍獣でも見るような目でアンヘルの姿をしげしげと眺めている。

多少、気恥ずかしさを覚えたアンヘルだが、見てくれと性能は必ずしも一致しない。

「ところでその機械はどうやって使うんだ？　それ以前に何に使える⁉」

怪訝《けげん》な表情で疑問を口にしたのはソルムだ。

「使い方は簡単だ」

アンヘルはホルダーから操作装置を取り出すと、射出口を宿泊施設の二階に向けた。

「銃を撃つ要領で対象《ターゲット》に狙《ねら》いを定め、操作装置の引き金《レバー》を引く」

操作装置のレバーを入れると腰に取りつけた《装置》が唸《うな》りを上げ、射出口からアンカーが飛び出していく。それは猛禽類《もうきんるい》が爪《つめ》を立てるかのようにしっかりと壁に食いこんだ。

「あとは握ったレバーを元に戻すと……」

アンヘルは皆に説明しながら操作装置のレバーを緩める。だが慣れない操作で加減を間違ったのか、《装置》は求めに応じて圧搾《あっさく》したガスを一気に吐き出した。それは獣が猛《たけ》り、喉《のど》を鳴らすかのような音を轟《とどろ》かせながらワイヤーを勢いよく巻き取っていく。

（まずい）

そう判断したときには手遅れだった。

重力という名の枷《かせ》から解き放たれたアンヘルの体は宙へと舞い上がっていく。

「うおっ⁉」

体を一気に持っていかれたせいか、加圧で意識が揺らぐ。気が遠くなり、視界が暗くなるが、アンヘルはカッと目を見開いて失神を力ずくで回避した。

すぐさま操作装置を制御してワイヤーの巻き取り速度を緩めるが、勢いは簡単には殺せない。アンヘルはぶちあたるように壁に激突していた。

「……まあ、こんな感じで縦軸への移動を実現する機械だ」

体中から悲鳴が上がっていたが、アンヘルは平静を装って《装置》の説明を行った。

「これなら巨人の目線まで移動できる。巨人もまさかって思うだろうな」

アンヘルはワイヤーを伸ばして地上に戻ると、アンカーを引き抜いて操作装置に戻す。

ずいぶんと乱暴に扱っていたが、《装置》は問題なく機能していた。課題があるとすれば使用者のほうにだろう。

「《装置》《それ》は何メートルまで移動可能なんだ？」

《装置》に興味があるのか、さっそくソルムが食いついた。

「三十メートルだ」

「壁を一気に、とはいかないか」

「それは今後の課題だな。ワイヤーも長くなれば重くなるし、もっと軽くて丈夫な素材にしないと不安が残りそうだ」

「面白いことを考えつくものだ」

感心したのか、ソルムはしきりに頷《うなず》いている。

「私の短刀もお忘れなく。彼の発明品と組み合わせれば戦いの幅は格段に広がるでしょう」

ゼノフォンは多くの時間を割いて研磨《けんま》した短刀を鞘《さや》から抜き、それをかざしてみせた。銀白色《ぎんはくしょく》の刀身が陽光を浴びてギラリと輝く。

「今すぐ私を使ってくれ――。そんなふうに語りかけているみたいでしょう？」

「頬《ほお》ずりする前にしまっとけよ。顔が削《そ》げてなくなるぞ」

黒金竹《くろがねだけ》を使った短刀の切れ味は申し分なく、すぐにでも実戦に投入できそうだ。ゼノフォンのしたり顔には苛立《いらだ》ちを覚えるが、彼が自慢したくなるのも無理はなかった。

「焜炉《こんろ》も負けてませんよ？」

コリーナは皆に背を向けると、担いだ背嚢《リュック》を指し示した。歪《いびつ》に膨らんだ背嚢《リュック》には焜炉《こんろ》が押しこまれているのだろう。

「はち切れそうだな」

「燃料をたっぷりと持ってきました」

「爆発だけは御勘弁《ごかんべん》を。氷爆石《ひょうばくせき》で爆死などシャレになりません」

ゼノフォンは自分の体を抱きしめて震え上がった。

「でもまあ実用的なのは焜炉《それ》だろうな。氷爆石が民間に卸されるか分からないけど」

職人たちは互いの成果を確認し合うと、満ち足りた表情で幌馬車《ほろばしゃ》に乗りこんだ。

×　×　×

行きは乗り物酔いに苦しめられたが、帰りは慣れたのか会話や風景を楽しむ余裕があった。反体制組織と一悶着《ひともんちゃく》あったおかげだろう。かなりの荒療治ではあったが。

とは言え一抹《いちまつ》の不安もある。反体制組織に襲われたにもかかわらず、護衛の人数が行きと同じだということだ。先の騒動を考えると騎兵が四名では手薄感は否めず、命に代えても職人を護《まも》るという布陣ではない。もちろんソルムを筆頭とした兵は命がけでアンヘルたちを護《まも》るだろうし、先の戦闘でも二名が命を散らせていたが、政治屋にとって重要なのは工場都市であって職人ではないということだ。護衛というより送迎という言葉が適当かもしれない。工房長《カスパル》は案内人《ナビゲーター》と言っていたが当たらずといえども遠からずといったところだろう。兵の補充があっただけましである。

不安はあったが反体制組織が襲ってくる気配はなく、正午には中間地点であるトロスト区に到着していた。行きと異なり時間的な遅れもない。

アンヘルたちはトロスト区で食事休憩を取ると、シガンシナ区に向かって出発した。

×　×　×

シガンシナ区へと続く門が見えてきたのは、太陽が西に大きく傾いたころだった。

赤々とした空は炉内で燃える骸炭《コークス》にも似ているが、寒さは急激に増している。吐く息は雪のように白く、じっとしていると縮み上がるほどだ。あと一時間もすれば日没だろう。

「一週間ぶりですね。ぜんぜん久しぶりって感じがしませんけど」

コリーナの話に車内の面々は同意した。

「工場都市にいても作業自体は工房と何も変わりません。職人の性《さが》というやつでしょう」

「開発バカとも言うよな」

「ちょっとした休暇のつもりだったのに……」

コリーナはがっくりと肩を落とす。

「娯楽施設でもあればよかったのでしょうが、それ自体が建設中でしたからね」

「どっちにしろ開発に精を出してたと思うぞ。工房長《オヤジ》が休みなんかくれるわけないだろ？」

「そうですよね……」

コリーナは納得の表情を浮かべる。

無駄話《むだばなし》をしている間に門が近づいてきた。

壁外に続く門が表門だとすると、内地へと向かうその門は裏門と言ったところか。位置的にも正反対で、このまま直進すれば表門、すなわち正門へとたどり着く。異なるのは門が開かれているか否かである。特に守る必要がないせいか裏門は門番の人数も少なめだ。

「今日は焜炉《こんろ》を使って夕飯です。きっとうちの親も喜びます」

「そりゃお偉いさんも泣いて喜びそうだ」

氷爆石《ひょうばくせき》は国内でもごく一部の人間しか存在を知りえず、使い方すら確立していない新しい素材である。ありふれた家庭の食卓を豊かにするなどよもやの事態に違いない。

「しかし、ずいぶんと騒がしくありませんか？」

裏門を潜《くぐ》り抜《ぬ》けたとたん、ゼノフォンが小首を傾《かし》げた。

「私たちが凱旋《がいせん》するのを待っていた、と言うわけでもなさそうですが」

御者台から顔をひょいと出して様子をうかがうと、噂話《うわさばなし》でもしているかのようなざわめいた空気があたりに漂っていた。大通りはいつもどおり人で溢《あふ》れていたが、聞こえてくるのは活気に満ちた喧噪《けんそう》ではない。そこには汚泥《ヘドロ》にも似た淀《よど》んだ気配が滞留している。

「何かあったようだな」

ソルムは険しい口調で告げると、前方をすっと指し示した。その先には『ウォール・マリア』と正門が見て取れるが、注目すべき箇所はそれではない。正門前には黒山の人だかりができており、さんざめいた気配はそちらから流れてくるようだ。

（嫌な感じだ……）

アンヘルは胸がざわめくのを覚えた。

距離があるので詳細は不明だが、何かしらの集会が行われているようだ。

「調査兵団でも凱旋《がいせん》したんでしょうか？」

コリーナの言うとおり調査兵団の凱旋と状況は酷似《こくじ》している。だが群衆の規模は大きく、千人は下らないだろう。

「調査兵団は前の遠征で大幅に人数を減らしています。再編成には時間がかかるでしょう」

「遠征に行ける状況じゃない、か。じゃあ、あれはなんだ？」

正門前に集まっているのは住人だけではなく兵の姿もある。もめているのか彼らは言い争っており、何ヵ所かで悶着《もんちゃく》を起こしていた。その規模は拡大しつつあるようだ。

（住民運動か？）

現体制への不満から抗議行動が行われることは少なくなかった。

（でも規模が大きすぎる……）

今にも暴動が起きそうな危うい雰囲気である。

「行ってみよう」

ソルムは馬車をゆっくりと進めていく。

群衆に近づくことで少しずつ状況が見えてきた。集まっているのは住人には違いないが、興奮しているのか目は血走り、鼻息も荒い。彼らは法衣《ほうえ》にも似た黒い衣服を身につけており、『ウォール・マリア』に向かって呪文《じゅもん》にも似た奇声を放っている。集団心理が働いているのか彼らは兵にひけを取らないほど動きが統制されていたが、それでいて夢でも見ているかのような頼りない気配を体から醸《かも》し出していた。

「なんだか変ですよ、あの人たち……」

コリーナは顔をしかめて不快感をあらわにする。

「気味が悪いな」

「どうやら私たちが留守にしている間に、七面倒《しちめんどう》な事が起きていたようですね」

ゼノフォンは商品でも品定めするかのような目で異様な集団をつぶさに観察している。

「あいつらは何者だ？」

「それは彼らの行動から一目瞭然《いちもくりようぜん》ではないかと」

「壁に向かって叫んでるだけだろ」

アンヘルは自分の発言でピンときた。

「お壁様か」

それは壁を神格化する者を嘲《あざけ》る言葉の一つである。

「違いますよ。まあ根っこは一緒だと思いますけどね」

「もったいつけてないで説明しろよ」

そんなやり取りをしている間に馬車は正門の近くまで迫っていた。

人で溢《あふ》れているので馬車は百メートルほど手前で停《と》まらざるをえなかったが、状況を確認するだけなら十分だ。正門前には見覚えのある女性が壁に背を向ける形で立っていた。

「エレナ・マンセル……」

エレナは喪服にも似た黒い衣装を身につけ、虚《うつ》ろな目で立ちつくしている。

「おや、お知り合いですか？」

「ちょっとな」

アンヘルは言葉を濁《にご》すと、エレナの様子を注意深く見つめた。今もなおヒースの死を受《う》け容《い》れられないのか、エレナからは生気が感じ取れず、その表情は能面のように平坦《へいたん》だ。

(何をするつもりだ？)

アンヘルはエレナの様子から状況を読み解こうとするが、答えを得る前に動きがあった。

「私は——。私たちの願いはただ一つ。門の即時開放、それだけなのです！」

エレナは外見からは想像もできないほどの大声を放った。

「は？」

突拍子もない話に、アンヘルは思わず調子外れの声を上げる。どんなに考えたとしても、そのような答えにはとうていたどり着かないからだ。

「おかしくなっちまったのか？」

「彼女も、そのお仲間も、それを認めはしないでしょう」

「あの人たち、なんなんですか⁉」

「おや、まだ分かりませんか。あの方々はですね――」

「巨人様だ」

ソルムは「チッ」と舌打ちする。

「そうか。あいつらが巨人を崇《あが》めるっていう」

その存在は噂《うわさ》では知っていたが、アンヘルは眉唾物《まゆつばもの》くらいにしか考えていなかった。巨人を神格化し、それを崇拝するなど正気の沙汰《さた》ではないからだ。

人類が絶滅寸前まで追いこまれたのは、ほんの数十年前の話である。いかに彼らが巨人を愛そうとも、巨人は彼らを食料《エサ》としか見ないだろう。開門などとんでもないことだ。

「開門を！　そして巨人様のもとへ‼」

エレナの声に信者が叫声を上げる。

「なぜこんなことになっている？」

ソルムの表情が見る間に険《けわ》しさを増す。元班長の嫁が巨人に心酔するなど笑えない話だ。

「心の隙間《すきま》につけこむのは常套手段《じようとうしゆだん》ですからね。調査兵団の関係者を仲間に引き入れるのは、彼らにとって何かと都合がよかったのかもしれません」

「それが決起《これ》につながったってわけか」

エレナを仲間にしたことで勢いづき、地下で細々と活動するのをやめて一気に勝負に出たのかもしれない。信者が開門を本気で要求しているのは、施設のいくつかを押さえていることからも明らかだ。

(厄介だな……)

どんなに正論で諭したとしても、価値観が異なれば話は通じない。彼らからしたらアンヘルのほうが異端に違いなかった。

「どうして兵隊さんは何もしないんですか?」

「対処したくともできない、と言ったところでしょうか」

正門前には暴動に対処するべく相当数の兵が集結している。壁の守護者である駐屯兵団はもちろん、調査兵団や憲兵団の姿もある。暴動を鎮圧するなど造作もない圧倒的な戦力だ。それにもかかわらず彼らは手をこまねいており、信者の鎮圧《ちんあつ》に乗り出す様子もない。

「どうやら人質がいるみたいですね」

ゼノフォンが壁上に組まれた櫓《やぐら》を指差した。櫓《そこ》は数名の信者によって占拠されており、彼らは恰幅《かっぷく》のよい中年男性の首筋に刃物をつきつけている。富裕層にいる人間だろう。ふくよかな体と仕立てのよい服からそれと察することができた。

「何者だ?」

「あれは王政府の役人だ」

ソルムは忌々《いまいま》しそうに吐き捨てた。

（ってことは保守派か）

ソルムが王政府がらみで苛立《いらだ》つ理由はそれしかない。

「おおかた接待でも受けにきたのでしょう。見てください、あのしまりのない体を。ずいぶんと優雅な生活を送っているようですね」

「缶詰じゃないのは確かだな」

「いやはや、どんな接待を受けていたのやら」

「美女が食事の世話をしてくれたのかもしれない」

アンヘルはエレナの姿をちらりと見やる。

「なるほど。ありそうな話です」

アンヘルとゼノフォンは軽口を叩《たた》くが、正門前で兵と小競《こぜ》り合《あ》いをしている信者は暴走寸前だ。速やかに彼らを鎮圧できなければ開門という最悪の事態を招きかねなかった。

（問題は人質か）

兵が信者の鎮圧に乗り出せずにいるのは、役人が信者の手に落ちているためだ。

（役人《あいつ》がどうなろうと知ったことじゃないが……）

現場を知らず、政治の駆け引きしか興味がないような無能な輩《やから》である。彼が死んだところで実害はないが、王政府の監督下にある兵団としてはそうもいかないのだろう。

「帰ってきたばかりだが、おまえたちは避難したほうがいい。じきに正門前《ここ》は戦場になる」

ソルムが皆を促したとき、なんの前触れもなく解放の鐘《リバティ・ベル》が高らかに鳴り響いた。

「我らに真の自由を！」

エレナが声高に叫ぶ。

「我らに真の自由を！」

続いて信者が唱和する。それは瞬く間に大音声となり、鐘の音をかき消していく。

（なんなんだよ、いったい……）

なんら手を打てないまま立ちつくしていたときだ。

信者が役人の首を刎《は》ねた。

噴出した鮮血が『ウォール・マリア』を赤く染めていく。

それは儀式的な意味があったのか、血が捧《ささ》げられたとたん、信じがたいことが起きた。

「門が……開く……」

信者の切なる願いが天に届いたのか、門が轟音《ごうおん》とともに開き始める。

開門は円滑《スムーズ》だ。行き届いた保守管理《メンテナンス》が仇《あだ》となり、街は瞬時に無防備な姿をさらけ出した。

「我らに真の自由を！」

信者は歓声を上げると、開け放たれた門へとなだれこんでいく。

「まずい！」

ソルムは腰に提げた短刀を鞘《さや》から引き抜くと、正門へと向かって突撃を開始する。ソルムは人質が殺され、開門した以上、もはや状況をうかがっている余裕はなかった。

人混《ひとご》みをかき分けながら正門へと突き進んでいく。各兵団もそれに続いた。

彼らが目指しているのは壁上の櫓《やぐら》である。門の開閉を御する装置がそこにあるからだ。

だが正門前は兵と信者が入り交じり、櫓はおろか『ウォール・マリア』に近づくことすら困難な状況である。個々の能力では圧倒的に兵に分があるものの、地の利は信者にあった。彼らを蹴散《けち》らしながら壁上へとたどり着き、さらには櫓を奪還《だっかん》するとなると、制圧にはそれなりの時間がかかるだろう。

「俺《おれ》たちは避難しよう」

争いに巻きこまれるからではない。開門している以上、街は壁外と同じである。

「ええ。尻尾《しっぽ》を巻いて逃げるとしましょう」

「逃げるって……。どこへですか？」

「とにかく内地へ」

この際、場所など何処《どこ》でもよかった。

アンヘルは馬車を動かそうとするが、大通りは兵や信者、逃げ惑う人でごった返しており、とてもそれを使って移動できる状況ではない。

「歩くしかないか……」

アンヘルは大急ぎでボンベを背負い、《装置》を腰に巻くと、操作装置を取りつけていく。《装置》は命の次に大切なものなので置いていくわけにはいかなかった。それはゼノフォンも同じようで、後生大事に短刀を握りしめている。荷物を諦《あきら》めたのはコリーナだけだ。

アンヘルたちが荷車を下りたとき、街は早くも混乱の兆候を見せ始めていた。

もとより兵と信者が睨《にら》み合《あ》っていたこともあり、空気はぴんと張り詰めていたが、開門によって一気に緊張感が頂点に達したのだろう。住民の反応も当然だ。暴動で門が開け放たれるなど想定外の事態に違いないのだから。

（急がないと恐慌状態《パニック》になる）

それは予期せぬ事件や事故を引き起こす可能性があった。

しかし何よりも恐ろしいのは、招かれざる者が現れることである。

（このままじゃ奴《やつ》らが来てしまう）

アンヘルの心配をよそに、信者たちは嬉々《きき》とした表情で壁外に飛び出していく。巨人を崇拝する彼らにとって、外地は聖地であり楽園に感じられるのかもしれない。だがアンヘルの目には生《い》け簀《す》に餌《えさ》を撒《ま》いたようにしか見えなかった。当然、腹を空《す》かせた巨人は餌につられて街に近づいてくるだろう。

（逃げるしかない。逃げるしか……）

だが道は渋滞しており、遅々として先に進まなかった。

（考えることは皆同じか）

それでも先に進む以外の選択肢はない。

裏門へと向かうアンヘルの背後から、歓声と怒声と悲鳴がどっと押し寄せてくる。

それにつられて振り向いた瞬間、アンヘルは戦慄《わなな》いた。心に亀裂《きれつ》が生じるかのような痛烈な一撃に、口から声にならない悲鳴がほとばしる。

「ああっ……」

アンヘルはカッと目を見開くと、ごくりと息を飲みこむ。十八年という歳月《さいげつ》をかけて積み重ねてきた常識が派手な音を奏でながら崩れていくのが分かる。

何が起きたのか瞬時には理解できない。いや、理解したいとも思わなかった。

思考は機能不全におちいり、頭の中がカンバスのように白く染まっていく。

それでもどうにか気持ちを立て直すと、アンヘルは正門を潜《くぐ》り抜《ぬ》けてくる一人の男性に目を留《と》めた。

「なんなんだ、あれは……」

アンヘルは喉元《のどもと》から声を絞り出した。

正門から現れたのは、そこいらを歩いているような中年の男性である。外見に限れば驚くに値しない穏やかな容姿だが、それでいて決定的に異なっていた。

「化け物……」

そんな言葉がしっくりくるほど男は巨大だった。人間など比ではない。男は雲をつくような大男であり、山が蠢《うごめ》いているかのような錯覚におちいるほどだ。体長は門の高さと同程度。つまり十メートルはあるだろう。自然の摂理を無視するかのようなその圧倒的な存在に対し、アンヘルは為す術《すべ》もなく立ちつくすしかなかった。

神か悪魔か――。

今なら信者が崇拝する気持ちも理解できる。

「あれが巨人……」

巨人はのろのろとした足取りで門を潜《くぐ》り抜《ぬ》けてくる。

文明など存在しないのか巨人は全裸で、歩くたびに突き出た腹が大きく波を打つ。胃袋に何が収まっているかは言わずもがなだろう。彼が歩くたびに何名もの人間が踏みつけられて絶命していく。多くの人間《エサ》を前に興奮しているのか、巨人は最高の笑みを浮かべていた。

巨人は祈りを捧《ささ》げる信者を虫けらのごとく踏みつけ、戦いを挑む兵を掌《てのひら》で叩《たた》き潰《つぶ》していく。そこに躊躇《ちゅうちょ》はない。人間を食らわなければならないと本能に記されているのか、巨

人は貪欲《どんよく》に人間をむさぼり続けている。味覚がないのか、それとも香辛料《スパイス》になっているのか、衣服や武具があってもおかまいなしだ。

強欲《マンモン》――。

不意にそんな言葉がアンヘルの脳裏に浮かび上がった。

悪食で偏食で暴食、それに加えて強欲《ごうよく》という悪夢の権化とも言えるその巨人は、無垢《むく》な赤子を思わせる最高の笑みを顔面に張《は》りつけている。その姿にアンヘルは怖気《おぞけ》立《だ》つ。

巨人の侵入を許したことで街は混乱の坩堝《るつぼ》と化した。シガンシナ区の住人はリスクを承知で住んでいるはずだが、まさか本当に巨人の侵入を許すとは思わなかったのだろう。巨人が正門から堂々と入ってくるなどよもやの事態である。住人は迫りくる死に怯《おび》えながら、唯一の脱出路である裏門へと押し寄せていく。そこに譲り合いの精神はない。

「今脱出するのは得策ではなさそうですね」

裏門には何千人もの住人が押し寄せており、とても脱出できるような雰囲気ではない。門が隘路《ボトルネック》となって大渋滞になっているからだ。彼らは恐怖から錯乱状態におちいっており、少しでも門に近づこうと必死になっている。道徳や倫理といったモラルは粉微塵《こなみじん》に崩壊し、生き残ろうとする本能が他者を押《お》し退《の》けていく。近づけば怪我《けが》だけではすまないはずだ。

住人がシガンシナ区からの脱出に苦慮《くりよ》している間も、巨人《マンモン》による傍若無人《ぼうじゃくぶじん》な行いは続けられていた。巨人は人間を殺《あや》め、食らいながら、緩やかな足取りで街を北上している。彼の行く手を阻《はば》むものは何もない。建物は積み木の玩具《がんぐ》のようにいとも簡単に破壊され、巨人が通過したあとには瓦礫《がれき》と死体の山が築かれていった。さながら歩く災害である。人の手でどうこうできるとは思えないが、それでも兵団は短刀《なまくら》を手に巨人へと挑んでいく。だが文字通り巨人には歯が立たず、刃は体を切り裂くどころか弾《はじ》かれていた。鎖帷子《くさりかたびら》でも身につけているかのような頑強さである。

「効いてません……」

コリーナは愕然《がくぜん》とすると、その場にへたりこんだ。

「俺《おれ》たちは……。本物の化け物を相手にしていたわけだ」

「これでは調査兵団がボロ負けするのも当然ですね」

『ウォール・マリア』のような巨大な壁が必要だった理由も今なら正しく理解できる。壁がなければとうの昔に人類は巨人に食いつくされていただろう。

あらかた殺して物足りなくなったのか、巨人はより多くの人間《エサ》がいる場所へと移動を開始する。その動きは獲物を追いかける獣のような俊敏《しゅんびん》さで、外見から連想される愚鈍《ぐどん》さは感じられない。人が全力疾走するのとはわけが違う。その走力は馬をも超えそうだ。

巨人は無二の親友にでも遭遇したかのような会心の笑みを浮かべたまま大通りを突進し続け、進路上に存在するあらゆるものを破壊しながら怒濤《どとう》の勢いで押し寄せてくる。アンヘルたちは逃げる間すら与えられないまま巨人の接近を許した。

巨人は大きい。そんな当たり前のことを再認識してしまうほどの超弩級《ちょうどきゅう》の巨大さだ。あまりにも大きすぎてアンヘルの視界には巨人の足下しか収まらないほどである。

それは異常な光景だった。巨人が放つ毒気に当てられたのか、アンヘルの身はすくみ、膝《ひざ》がカタカタと笑い出した。先ほどから本能が「逃げろ」と連呼していたが、体は射すくめられたようにぴくりとも動かない。それはゼノフォンとコリーナも同様だ。二人は塗り固められたかのように動きを止めている。その顔は病的なほど青く、己の未来に絶望しているのか生気がごっそりと抜け落ちていた。眼前の光景はあまりにも理不尽で、この世に生を受けたことを嘆《なげ》かずにはいられなくなるほどだ。とても平静を保ってはいられない。

巨人が豪腕を高々と振り上げていく。

(逃げろ……)

アンヘルは己を叱咤激励《しったげきれい》するが、体は小刻みに震えるばかりで微動だにしない。

巨人が腕を振り下ろした。

(動け……動け……)

アンヘルは心を縛る恐怖という名の鎖を引きちぎり、どうにか解放された両腕で力いっぱい膝《ひざ》を打ち据《す》えていく。鈍い痛みが両膝《りょうひざ》に広がり、痛覚を覚えることで震えがやんだ。

「動けっ!」

　アンヘルは叫ぶと同時に足を踏ん張らせると、地面を蹴《け》って勢いよく真横に飛ぶ。その直後、巨人の拳《こぶし》が地面に振り下ろされた。砲弾でも着弾したかのような轟音《ごうおん》が響き渡り、大地が鳴動する。粉微塵《こなみじん》に粉砕された路面が埃《ほこり》とともに四散した。少しでもタイミングが遅ければ潰《つぶ》されていただろう。

　だが脅威が去ったわけではない。巨人は地面にめりこんだ拳をゆっくりと引き抜いていく。砕けた路面の破片で皮膚でも切ったのか、巨人の拳から鮮血が滴り落ちてきた。

「無事か？」

　アンヘルは体勢を立て直すと、仲間に声をかけた。

「私のほうは、どうにかね……」

　ゼノフォンは舞い上がる埃《ほこり》で激しくむせこんでいたが、怪我《けが》などはしていないようだ。

「コリーナ、平気か？」

　返事はない。

「コリーナ？」

　アンヘルは周囲を見渡すが、先ほどまで側にいたコリーナは神隠しにでも遭ったかのように忽然《こつぜん》と姿を消していた。ぞくりと背筋に悪寒が走る。

　ぽたり、ぽたり。

　巨人の拳から血液が滴り落ちてきた。

アンヘルは恐る恐る地面へと視線を移す。

巨人の拳《こぶし》で抉《えぐ》られた地面には、ひしゃげた肉の塊が横たわっていた。

「コリーナ……」

もはや原形すら定かではない肉塊がコリーナだと分かったのは、それが作務衣《さむえ》でくるまれていたからだ。体中の骨は打ち砕かれ、割れた頭蓋《ずがい》からはどろりとした内容物が飛び出している。コリーナが絶命しているのは一目瞭然《いちもくりょうぜん》だ。巨人は肉塊と化したコリーナを指先でつまみ上げると、それを口へと運ぶ。そして軽く口を蠢《うごめ》かすと、蔕《へた》でも取り除くようにコリーナの頭部を放《ほう》り投《な》げてきた。その無造作な行為からは死者への敬意など少しも感じられない。そこに食べ物が落ちていたから拾って食べた、そんな印象だ。

「クソッ！」

アンヘルは吐き捨て、唇を噛《か》むと、巨人を睨《にら》みつけた。

みるみる頭に血が上り、体は火でもくべたかのようにかっかしている。

巨人は恐ろしい。側にいるだけで体はすくみ、正気を保っていられないほどだ。ただ今はそれ以上に巨人が憎かった。巨人への害意が麻酔薬となって恐怖心を麻痺《まひ》させていく。

「刀を！」

アンヘルは吠《ほ》えるが、ゼノフォンは大きく目を見開いたまま微動だにしない。

「ゼノフォン！」

再び声を張り上げるが、彼は息継ぎをする魚のように口をパクパクと動かしながら、虚ろな瞳で滴る血液を見つめ続けている。

「ゼノフォン、刀をっ!!」

叱責するかのような勢いで声をかけると、ようやく彼は正気を取り戻した。

ゼノフォンはすぐさま握りしめていた短刀を放《ほう》り投《な》げ、アンヘルはそれをキャッチすると、鞘《さや》から抜いて巨人の足下に迫る。

戦い方など分からない。だが戦術を理解していても目の前の化け物には通用しないだろう。だとしたらやるべきことは一つだ。

アンヘルは全力で巨人の足首を切りつけた。巨人の皮膚はすんなりと刃を受《う》け容《い》れ、傷口がぱっくりと口を開く。赤々とした肉とそれに包まれていた骨が剥《む》き出《だ》しになった。

「やりましたよっ！」

ゼノフォンは興奮するが、巨人に与えたダメージはそれだけだ。だが実のところ負傷したかも定かではない。巨人は少しも痛がる様子を見せず、それどころか傷口は蒸気のような白い煙を放ちながら見る間に瘡蓋《かさぶた》を形成していく。人間であれば完治に二、三ヵ月は要するであろう深い刀傷は、アンヘルが目を瞠《みは》っている間に治癒した。

「化け物め……」

だが巨人も人間と同じ生物である。いかに尋常《じんじょう》ではない快復力を有していようとも、急所を叩《たた》けば生きてはいられない。問題はそこがどこにあるか分かっていないことだ。

（クソッ……。どうにもならないってのか……）

もはや玉砕覚悟《ぎよくさいかくご》で特攻する以外に手はなさそうだ。

だが巨人を目の当たりにして気づいたこともある。巨人の知能が想像以上に低いという事実だ。巨人は人間の生態や暮らしには何一つ興味を示さず、目の前の御馳走《エサ》にしか反応しなかった。人間を捕らえて食らう。それだけだ。犬猫のほうがよほど賢いだろう。

知能の低さは現状を打破できる画期的な発見ではないが、巨人より優《まさ》っている点を確認できたのは大きい。特に知能で勝っているというのは勝機を見出《みいだ》すに足る優位性《アドバンテージ》であり、しかもそれは人間を人間たらしめる部分でもある。知恵を絞れば巨人を倒せないまでも制御は可能になるはずだ。

そんな結論に達したとき、アンヘルは閃《ひらめ》いた。

「おい、化け物！　俺《おれ》を食ってみろっ‼」

アンヘルは巨人に罵声《ばせい》を浴びせ、からかうように手を振ってみせると、正門へと向かって走り始めた。それを挑発と受け取ったのか、巨人はアンヘルを追いかけてくる。

アンヘルの作戦は単純だ。

（倒せないなら、街から追い出せばいい）

巨人の行動原理は明快である。

人間を食らうこと――。

それだけだ。

(餌《えさ》をちらつかせれば、巨人は本能的に追ってくる)

もちろん餌《えさ》は自分自身だ。

前方から先ほど乗り捨てた馬車が見えてきた。馬は興奮ぎみだが暴れてはおらず、すぐにでも走り出すことができそうだ。

アンヘルは御者台に立つと、すぐさま鞭《むち》を打って馬を走らせた。

巨人は狙《ねら》いどおりアンヘルを追いかけてくる。予定では正門を一気に潜《くぐ》り抜《ぬ》けるはずだったが、そこは死屍累々《ししるいるい》で馬車が通れる状態ではない。アンヘルは御者台から馬上へと移動すると、馬と荷車をつないでいる馬具《ハーネス》を短刀で切り落とした。荷車から解放された馬は小回りが利くようになり、障害物を器用に避けながら正門を目指して駆けていく。

「アンヘル！」

声の方向へと目を向けると、マリアを始めとした駐屯兵団の兵が信者から櫓《やぐら》を奪還したところだった。アンヘルはそれを確認すると、馬を加速させる。

打ち合わせたわけではないので、アンヘルの意図はマリアには伝わらないだろう。しかし駐屯兵団の役目を考えれば、彼女が取るべき行動は一つしかない。

アンヘルは正門を潜《くぐ》り抜《ぬ》けていく。

前方から見えてきたのは、手つかずの痩《や》せた大地である。壁外に飛び出した信者の行方は不明だが、何名かは巨人に踏まれるなどして骸《むくろ》となっていた。それ以外、特筆に値する何かは確認できない。もしかしたら地平線の先には見知らぬ国や人、信者が目指した聖地があるのかもしれないが、それらを感じさせる手がかりは一つもなかった。

壁外を観察するまたとない機会だが、好奇心を満たすのは後回しだ。アンヘルは馬を静止させると、手綱を操作して馬体を正門に向けた。人間の世界は鳥籠《とりかご》に喩《たと》えられるが、壁外から眺めるとそれも頷《うなず》ける。外の景色が見えるだけ鳥籠《とりかご》のほうがいくらかマシかもしれない。

(まるで監獄だ)

規模に大きな差はあるが、壁に囲まれて生活せざるをえないところなど監獄そのものである。

ほどなく正門から恐怖の権化がのっそりと姿を現した。

「来たな、化け物……」

巨人と向かい合ったとたん、正門が轟音《ごうおん》を響かせながら閉じられていく。

(分かってるじゃないか、マリア)

駐屯兵団の使命を考えれば、閉門以外に選択肢はない。アンヘルとシガンシナ区を天秤《てんびん》にかけたとき、どちらが重いかは言わずもがなだろう。もっともアンヘルは尊い犠牲になるべく壁外に飛び出したわけではなかった。

「知ってるか？　常識ってやつは書き換わるんだ。そのために技術は存在する」

アンヘルはガンホルダーから操作装置を抜き、射出口を『ウォール・マリア』に向けた。

狙《ねら》いを定める必要はない。目をつむっていても当てられるほど的は巨大である。

操作装置のレバーを入れると《装置》が唸《うな》りを上げ、矢のような勢いで飛び出したアンカーが壁に食いこんでいく。地上から二十メートルほどの位置だ。

「巨人が倒せないという常識も、俺《おれ》が書き換えてやる！」

操作装置のレバーを戻すと、《装置》が猛烈な速度でワイヤーを巻き取り始める。重力という名の軛《くびき》から解放されたアンヘルの体が勢いよく宙を舞った。

だがありえない動きを実現するには、それなりの代償も支払わなければならない。失神しかねないほどの圧力がアンヘルの体に重くのしかかってくる。頭への血流が不十分なのか視野が狭くなり、世界から色が失われていく。アンヘルは歯を食いしばって加圧を撥《は》ね除《の》けると、体勢を整えつつレバーで速度の微調整を行った。

（門から出入りするのは昨日までの常識。でも今日からは違う――）

アンヘルは瞬く間に巨人の脇《わき》を通過していく。それと同時に前方から『ウォール・マリア』が近づいてきた。アンヘルは姿勢を制御しつつ壁に軟着陸すると、体を上部へと引き上げる。体は見る間に上昇し、巨人の手がおよばない高所へと向かっていく。だが目的地に到着する直前、背中に担いだボンベから空気が抜けるような異音が聞こえてきた。

「ガス漏れ……」

ボンベの溶接が甘かったのか、あるいは構造自体に欠陥があったのか、とにかくガスが漏れた影響で《装置》が停止した。レバーを動かしても《装置》はうんともすんとも言わず、アンヘルは地上十八メートルほどの位置で宙ぶらりんである。

「クソッ！　こんなときにっ‼」

試作機に不具合はつきものとはいえ嘆かずにはいられない。

地上に目を移すと、巨人がアンヘルを捕らえるべく手を伸ばしていた。跳び上がれば捕まってしまいそうだが、巨人にそこまでの知恵はないようだ。命拾いしたが危機的状況が去ったわけではない。どうにかして壁を乗り越える必要があった。

「まいったな……」

工具があれば《装置》を分解《バラ》して何か作れそうだが、手元には何もない。すべて荷車の中である。そもそも蓑虫《みのむし》のようにぶら下がっていては作業どころではなかった。

不意に体が十センチほど沈んだ。頭上に目をやると、アンヘルの体を支えているワイヤーが千切れ始めていた。強度を確保するため細いワイヤーを何本か編みこんで一本のワイヤーに仕立てていたのだが、それでも十分ではなかったようだ。ワイヤーは一本、また一本と、嫌な音を立てながら切れていく。体を支えられなくなるのも時間の問題だろう。

「まずい……」

進退きわまったとき、アンヘルの頭上から一本のロープが垂れてきた。

「つかまって！」

ロープを目でたどっていくと、壁上からマリアが顔を覗《のぞ》かせていた。呆《あき》れているのか、それとも怒っているのか、マリアは形容しがたい複雑な表情を浮かべている。後ほどマリアの説教を長々と拝聴することになりそうだが、それでも死ぬよりはましだった。

アンヘルがロープに腕を絡ませると、すぐに引き上げが始まる。その最中《さいちゅう》、アンヘルは満面の笑みを浮かべる巨人と目が合った。

「何がそんなに嬉《うれ》しい？」

食料《エサ》であるアンヘルを逃したにもかかわらず、巨人は笑顔を絶やさない。

「俺《おれ》に殺されるときも、そうやって笑っているのか？」

アンヘルは問いかけるが、巨人は笑うばかりで答えようとはしなかった。

地平の彼方《かなた》に太陽が沈んでいく。

壁外に飛び出した信者が引き寄せたのだろう。遠方から人類の怨敵《おんてき》が大挙して押し寄せてくる。それは終末の到来を予感させる絶望的な光景だった。

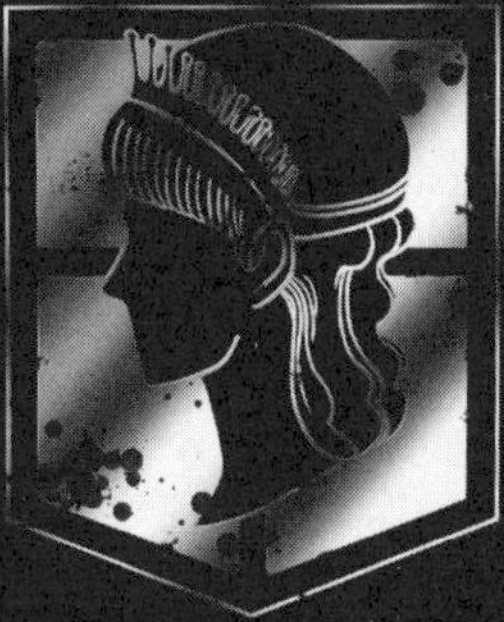

三章

巨人の侵入という前代未聞の事件は、シガンシナ区の住人を恐怖のどん底に叩《たた》き落《お》とした。

一夜明けた街は地獄絵図そのもので、死傷者は行方不明者と合わせて五千人にもおよぶ。路上には回収を待つ遺体が無造作に積み上げられており、路面は彼らが流した血液で赤黒く染まっていた。気温が低いため遺体の腐敗は進まず、速やかに処理すれば疫病の恐れもなかったが、人々の心を蝕《むしば》むには十分な光景だ。

圧倒的な猛威を振るった巨人だが、犠牲になった者は意外にも全体の二割でしかない。残りは混乱《パニック》が招いた人災だった。現場となったのは裏門である。脱出路の狭さに起因する群集事故だ。犠牲者の大半は子供や老人といった弱者であり、その死因は圧死だった。

建物の被害も深刻で、全半壊した家屋は百戸ほど。今現在も街のあちらこちらで火の手が上がっており、最終的な被害は倍近くになると予想されていた。復旧のめどは立っていない。

家屋が甚大な被害を出す一方で『ウォール・マリア』には傷一つついていなかった。正門も健在だ。それにもかかわらず安全神話が崩れたというのは皮肉な話である。それは兵団や王政府にとって想定外の事態であり、住人からの信頼は地に落ちた。

騒動の発端である邪教徒は兵に鎮圧されていたが、事件が解決したわけではない。むしろ始まりであり、実態の調査はこれからだ。

信者を煽動《せんどう》したエレナは正門付近で死体となって発見された。巨人に食われたのち吐き出されたらしく体は体液まみれになっていたが、丸呑《まるの》みしたのか遺体は無傷に近い。巨人は人間を食らうが消化はせず、満腹になったら吐き出すという行為を繰り返しており、その痕跡《こんせき》は街のあちらこちらに残されていた。毛づくろいをした猫が毛玉を吐くように、巨人は人間の塊を吐き出していたのである。

さまざまな問題が明るみに出、住人からの不平不満が一気に噴出していたが、王政府は復興作業を大々的に行い、今まで以上の手厚い支援を約束することで追及をかわしていく。住人も生活を優先せざるをえず、問題はうやむやのまま忘れ去られていった。

×　×　×

赤々とした西日が墓地を照らしていた。

五百平米ほどの広さがあるその墓地には、先の騒動で亡くなった住人が眠っている。だが安らかな眠りとはいかないだろう。その墓地は街に溢《あふ》れた遺体を処理するために急造された集団墓地であり、故人の尊厳など考慮されてはいないからだ。衛生面の問題があるとはいえ、乱暴きわまりない扱いである。慰霊碑はあったが碑文はなく、誰《だれ》が埋葬されているのかも分からない有り様だった。

「花なんて柄じゃないが……」

アンヘルは献花台に花を置くと、深い溜《た》め息《いき》をつく。

墓地には先の騒動で亡くなったコリーナと何人かの同僚が眠っていた。コリーナは頭部のみの埋葬だったが、中には遺体すら見つかっていない行方不明者や、損壊が酷《ひど》すぎて身元が確かめられない者もいる。それに比べたらコリーナはいくらかましだろう。

（生者の都合だよな……）

墓前で祈って救われるのは生きている者だけだ。死者が何かを感じることはない。

「コリーナの家族に連絡はついたのか？」

アンヘルは一頻《ひとしき》り慰霊碑を眺めると、隣へと目を向ける。そこにはコリーナと親交があったソルムとマリア、そしてゼノフォンの姿があった。

「家を訪ねてみたけど倒壊してたね」

連日の復興作業で疲れているのか、マリアは憔悴《しょうすい》しきっていた。瓦礫《がれき》の撤去だけでも骨が折れるはずだが、その最中に遺体を発見することもあるだろう。心身ともに厳しい作業に違いない。街を守れなかったこともマリアにとっては負担になっているはずだ。

「オレも調べてみたが、御両親の行方は分からなかった。どこかに避難していればいいが」

「すでに対面している、なんてこともあるかもしれませんね」

ゼノフォンは慰霊碑を見つめながら不謹慎な発言をしたが、状況を考慮するとその可能性もありそうだ。

「死ぬには早すぎる。職人としても、これからだってのに……」

コリーナも巨人に食われて死ぬなどまさかの事態だろう。

「今回の一件で保守派の発言力がずいぶんと増したらしい。面倒なことになりそうだ」

ソルムはしかめ面《つら》をした。

「お約束の調査兵団の解散話でも始めたか？」

「門をふさいでしまおうって」

マリアは溜《た》め息《いき》をつくと、さらに話を続ける。

「門があるから事件は起きてしまった。つまり門さえふさげば……」

「不埒《ふらち》を働く者も現れない、というわけですか。ずいぶんと安直ですね」

ゼノフォンは呆《あき》れ顔《がお》をした。

「そんなことをしたって、外に出ようとする馬鹿《ばか》は必ず出てくる。門がなくなればよけいな手間がかかるだけだ」

「ですね。門があるからそこから出たいと思うわけで。それがなくなれば『ウォール・マリア』のすべてが彼らの標的になりますよ」

「巨人と一緒だな。シガンシナ区という餌場《えさば》がなくなれば行動の予測ができなくなる。兵も壁のすべてを警戒はできないだろ？」

「その話、王政府《おえらいさん》に提言してくれないか」

「小市民の話に耳を傾けてくれるならな」

それは望みがないのと同義である。

「結局のところ、巨人をなんとかするしか道はない。このままじゃ人類はジリ貧《ひん》だ」

「なんとかするって言っても、巨人は倒せないのに……」

「そんなことはありませんよ。希望はあります」

ゼノフォンは短刀を皆の前に差し出した。

「それは例の短刀だろう？」

「そうか。ソルムは短刀《これ》の切れ味を知らないんだな」

「なんの話だ？」

「私と彼は巨人に襲われたわけですが……。そのときこの短刀が大活躍したのですよ」

大活躍かは疑問が残るが、その刃が巨人の皮膚を切り裂いたのは事実である。

「なるほど。つまり短刀《これ》は巨人に対して有効な武器というわけか」

「でも切れるだけじゃ巨人は殺せないわよ」

「確かにあの快復力は反則だよな。死なないってのが常識になるのも頷《うなず》ける」

だが納得はできなかった。

「昨日の常識は今日の非常識。殺せないなんて常識は、そのうちひっくり返してやる」

「そうですとも。私たちの技術は、そのためにあるのですから」

アンヘルとゼノフォンがやる気を出す一方で、ソルムとマリアは複雑な顔をしていた。

「でも巨人とやり合う前に、奴《やつ》らを知る必要がある。巨人も生き物には違いないし、必ず弱点があるはずだ」

「で、こいつでずぶりといくわけですね」

ゼノフォンは短刀で突くようなしぐさをしてみせた。

「俺《おれ》たちは巨人について知らなすぎる」

「ですね。分かっているのは人間を食べることとくらいですし」

「だから徹底的に巨人の生態調査を行う必要がある。きっと手がかりがあるはずだ」

だが動物を観察するのとはわけが違う。

(どうにかして兵団の協力を取りつける必要がある)

特に調査兵団の協力が、である。巨人の生態を調べるには、壁外での活動が不可欠だった。

「遠征で巨人の生態調査とかできないのか?」

「巨人は倒せない、と言うのが調査結果だ。覆すのは難しいだろう」

「でもそれを変えていく必要がある」

可能性だけでも示さなければ人類に未来はないし、コリーナも浮かばれなかった。

「おまえんとこの隊長《ボス》を紹介してくれよ」

「隊長を？」

「さっき王政府に提言しろって言っただろ？　あっちはつながりもないし現実的じゃないが、調査兵団なら可能性はある。なんたって調査兵団の一員がここにいるんだからな」

アンヘルの提案にソルムはしばし思案に沈む。

「……あまり期待はするなよ」

それがソルムの答えだった。

×　×　×

アンヘルは開発室で《装置》の修理に精を出していた。

《装置》は期待以上の成果を出しており、それによってアンヘルは命を救われていたが、まだまだ実用的ではない。ボンベはガス漏れを起こしていたし、ワイヤーは強度の問題を抱えている。修理をしただけでは実戦への投入は難しく、大幅な改修が必要だった。

「しかし隊長に会うことすらかなわないというのは予想外でしたね」

ゼノフォンは室内を物色しながら愚痴を漏らした。

「面会くらいはできると思ったんだけどな……。甘かったか」

進言して玉砕するならまだしも、お目通りすらかなわないとなると対処のしようがない。

「縦割りの弊害だよな」

「彼《ソルム》は末席ですからね。隊長と話すなど頭《ず》が高いといったところでしょう」

　まずは班長に話を通すのが筋で、班長から副長へ、副長から隊長へと情報は伝達される。役職に就いている者には裁量権が与えられており、ソルムの話は隊長に伝わるどころか班長に突き返されていた。

「時期の問題もありそうだ」

「てんやわんやですしね。街の復興で」

　遺体の埋葬と瓦礫《がれき》の撤去は終わっていたが、建物の再建は始まったばかりだ。景観が元通りになるのは何ヵ月も先の話である。優先度を考えれば却下は当然と言えた。

「遠征もしばらくは行われないでしょう。こんな状況下では非難の的になりますし」

「機会を待つしかないか」

「開発に専念していれば、あっという間ですよ」

「そうだな……」

　アンヘルはゼノフォンの話に同意するが、簡単には諦《あきら》められなかった。街が再興しても巨人の調査が始まる保証はどこにもないからだ。

（なんとか調査させる方向に持っていくしかないが……）

　しかし肝心の方法論は何一つ思いつかなかった。

（調査兵団を動かす方法か。我ながら大胆不敵だよな）

アンヘルは自分に呆《あき》れながらも、その方法論について真剣に考え始めた。

× × ×

「だからって、こういうのはこれっきりにしてね」

マリアは深い溜《た》め息《いき》をつくと、アンヘルをじろりと睨《にら》む。

「意外に似合ってるだろ？」

アンヘルは身につけている衣服を誇張するかのように胸を張った。普段着である作務衣《さむえ》ではない。アンヘルは駐屯兵団の兵服を身につけていたのである。

「兵服《それ》、どこで手に入れたの？」

「言ったら怒るだろ」

「もう怒ってるけど」

実際マリアの目は吊《つ》り上《あ》がっていたが、闇市《やみいち》で入手したと知ったら激怒するだろう。その気になればたいがいの物はそろうが、法に触れる代物も多い。兵服などもってのほかである。

「おまえが駐屯兵団で助かったよ。持つべきものは友ってやつだな」

「見つかったら怒られるだけじゃすまないわよ？」

「俺《おれ》は慣れてる」

「私は慣れてないの！」

マリアが憤慨するのも無理はない。これから彼女の手引きで櫓《やぐら》へと足を運び、そこで巨人を観察する予定なのである。もちろん無許可だ。

（バレたら大目玉だろうな）

最悪、牢獄《ろうごく》で臭《くさ》い飯を食べるはめになるだろう。

調査兵団に巨人の調査を行わせるべくあれこれと考えたアンヘルだが、結局その方法は見つからなかった。ならばとひねり出した解決策が自身で調査を行うことだったのである。とは言え一人では何もできないため、マリアを巻きこんだというわけだ。

「本当に、これっきりだからね？」

何度か念を押されているうちに前方から『ウォール・マリア』と正門が見えてきた。門の両脇《りょうわき》には螺旋状《らせんじょう》に組まれた木造の階段があり、それを上っていくと見張り台として建てられた櫓が見えてくる。マリアは夜勤の兵と交替で櫓に入り、アンヘルも何食わぬ顔で彼女に続く。兵は夜勤明けで疲れているのかアンヘルを気にも留《と》めなかった。

「寿命が縮むかと思った」

マリアは胸に手を添えてホッと息をつく。

「思ったよりあっさりだったな」

「だからって二度目はないわよ？」

「了解」

アンヘルは肩をすくめると、赤茶けた不毛な大地へと目を向けた。特に見所もない殺風景な景色だ。仮に巨人から外の世界を奪還できたとしても、痩《や》せた土地を耕し、街を作り、人が暮らせるようになるにはかなりの歳月《さいげつ》がかかるだろう。

荒野をじっと眺めると、そこにいくつかの人影を認めることができた。アンヘルはすっと目を細めると、遠方で蠢《うごめ》く人形《ひとがた》の化け物に注目する。

(巨人……)

その姿を確認したとたん、冷水に神経をひたしたかのような凄絶《せいぜつ》な感覚がアンヘルの体を走り抜けていく。全身からどっと冷や汗が噴き出し、意識が薄らいでいくのが分かった。

(息が……できない……)

いや、息をするのを忘れていたのだ。アンヘルは危うく卒倒しかけるが、慌てて呼吸をすることでどうにかそれを回避する。

(クソッ。怯《おび》えてるってのか……)

可能なら二度と見たくはない相手ではある。だが怯《ひる》んでばかりもいられなかった。

(巨人は……。俺《おれ》が倒してみせる)

人類のためなどという殊勝な気持ちがあったわけではない。無念の死を遂げたコリーナのため、そして巨人に植えつけられた恐怖心を払拭《ふっしょく》するためにも、それが必要だった。

アンヘルは気持ちを奮い立たせると、さっそく巨人の観察を開始する。

まず気がついたのは、巨人に共同体《コミュニティ》を作る習性がないことだ。彼らはてんでんばらばらに行動しており、つるんだりする様子はない。しばらく様子をうかがうが、意思の疎通を行っているようには見えず、動きにも規則性はなかった。

巨人はふらふらと歩き回る者もいれば、空を見上げて立ちすくむ者もいる。大きさもさまざまで、シガンシナ区に乱入した巨人《マンモン》は巨人の中でも大きな部類に属するようだ。小さな個体は三メートルほどだが、それでも人間と比べれば格段に大きい。

「いつもあんな感じなのか？」

「ええ」

「何を食ったらあんなに大きくなるんだろうな」

「さぁ？」と首を傾《かし》げるマリアに対し、アンヘルは疑問を抱いた。

「あいつらだって何か食うだろ？」

「そうだと思うけど」

「見たことないのか？」

「人間以外は」

しかし人間を食べる機会など、そうはないはずだ。

（別の国があるならともかく……）

巨人も生き物である以上、何かしら栄養を得なければならない。飲まず食わずはありえなかった。ましてやあの巨体である。それを維持するには膨大なエネルギーを必要とするはずだ。食事をしないなどまず考えられない。

「俺《おれ》たちは本当に何も知らないんだな……。巨人が倒せないのも当然ってわけだ」

敵が強大であればあるほど相手の情報が必要不可欠だ。特に急所を知るのは重要で、それを知らずに戦いを挑むなど無謀の極みである。

（倒す必要がなかったのかもな）

巨人の生態調査が行われなかったのは、王政府の意向だろう。正確には保守派の、である。

一方で調査兵団は壁外に遠征を行っていた。そこには巨人に奪われた土地を奪還したいという革新派の考えが見え隠れしている。

（つまるところ折衷案《せっちゅうあん》か）

巨人の件を棚上げにして派閥間の衝突を避け、共存しようと考えたのかもしれない。当然、国民の利益も棚の上だ。命をかけている調査兵団はたまったものではないだろう。

（俺には保守派も革新派も関係ない）

だが調査兵団には親友がいた。このまま遠征を続ければ、いつか巨人に殺されるかもしれない。そのような事態になればマリアは途方に暮れるはずだ。

(俺《おれ》が巨人の弱点を暴いてやる)

アンヘルは決意すると、外地を見つめた。

× × ×

壁上で得た巨人の情報はささいなものだった。遠方から双眼鏡で観察するだけでは外見上の特徴をつかむのがせいぜいである。弱点につながる手がかりも発見できないままだ。

それでも観察を続けるうちに気づいた点もあった。表情である。人間に喜怒哀楽があるように、巨人もまた感情を表に出す生き物なのだ。人間と異なるのは表情が一つしかないことだろう。つまり喜びの表情を浮かべている者は、ずっとその面構《マンモン》えのままなのである。怒りや悲しみといった他《ほか》の感情が顔に表れることはない。思い起こすと巨人も表情を崩さなかった。コリーナを食らっているときも、短刀で切られたときも、彼は笑みを絶やさず、ただ笑っていた。もっともそれに気づいても巨人を倒すための手段にはならなかったが。

マリアの協力は一度きりだったが、アンヘルは兵服を着て何度か壁上に足を運んでいた。そのたびにちまちまと巨人の観察を続けていたが、生態調査は遅々として進まない。判明している事柄を裏付ける情報ばかりである。

マリアが話したとおり巨人は何も口にしなかった。壁外には動物も多く生息しているが、それらには見向きもしない。草を食《は》むわけでもなかった。つまり食指が動くのは人間のみになるわけだが、それはそれで疑問が残る。結局のところ分からないということが分かっただけだった。

「やっぱ壁外ってことか」

ふりだしに戻ったことに気づいたアンヘルは、額に手を当てて唸《うな》り声《ごえ》を上げた。

「ゼノフォンの言うとおりかもしれない」

開発に専念しつつ機会を待つという方法だ。

街の復旧は着実に進んでいたし、作業に集中していれば時間など瞬く間に過ぎていく。訪れた機会を逃さず、しっかりとものにできれば、いつかは隊長との面談もかなうだろう。希望的観測ではあるが、そんなふうに思わなければやっていられなかったのである。

×　×　×

工房長《カスパル》から呼び出しがかかったのは《装置》の改造に精を出していたときだ。

「また面倒事だろうな……」

アンヘルは工房長室の前で顔をしかめる。カスパルからの呼び出しで得をした経験がないからだ。怒られるか雑務を押しつけられるかの二択であり、叱《しか》られた上に仕事を増やされるという最悪の事態も想定された。

身に覚えがあるだけに気持ちは滅入《めい》る一方だが、あれこれと思い悩んでも始まらない。アンヘルは頭をかくと、気持ちが萎《な》えてしまう前に工房長室の扉を開いた。

「おう。やっときたな！」

カスパルはソファーにどっかと腰を下ろしたままの姿でアンヘルを手招きする。

室内にはカスパルの他《ほか》に見覚えのある兵の姿があった。

「紹介するまでもねえな。見りゃ分かんだろ？」

カスパルは紹介の手間を省くつもりのようだが、実際その必要はなかった。

「ホルヘ・ピケール。調査兵団の隊長さんだろ。でもなんでこんなところに？」

「なんでって、おめえが呼びつけたんだろうが」

「俺《おれ》が？　俺がそんなこと――」

するわけがないと言いかけたアンヘルだが、はたと気がついた。

「いまさらってことか……」

「悪く思わないでほしい。君の提案はとても繊細《デリケート》な問題でね。分かるだろう？」

ホルヘは彫刻のような厳《いか》めしい顔でアンヘルをぎろりと見つめてきた。その視線は鋭利な刃物にも似た鋭さで、口元に蓄えられた口髭が野性味を引き立てている。体からは隠しきれない圧倒的な存在感が滲《にじ》み出《で》ており、睨《にら》まれでもしたら猛獣も尻尾《しっぽ》を巻いて逃げ出すだろう。

「俺《おれ》に会いに来たってことは、状況が変わったわけか」

都合のよい話だとは思ったが、アンヘルは言葉をぐっと飲みこむ。

調査兵団の隊長ともあろう者が自ら訪ねてきたのだ。風雲急を告げるような事態が発生したのだろう。調査兵団にとって不都合な何かが。

(でも俺には好都合だ)

交渉《ネゴ》の手間が省けた以上、話はとんとん拍子に進むはずである。

「政情の変化ってやつらしい」

「例の巨人騒動が契機《きっかけ》でね。君も調査兵団の解散話を聞いたことがあるだろう？」

「それなら何度も」

即答するアンヘルに対し、ホルへは苦笑いで応じる。

「今度の話は噂《うわさ》ではすみそうにない。解散もありえるだろう」

「住民どもは巨人にびびっちまってる。門を開けるなんぞ、とんでもねえってな」

「あんな化け物を見せられたんだ。当たり前だろ？」

「彼らには気の毒なことをしたと思っている。君の同僚にもね」

カスパルからコリーナの件で報告を受けていたのだろう。ホルへは頭を下げて謝罪した。

(意外だな)

アンヘルはホルへの反応《リアクション》に好感を抱いた。力の象徴である調査兵団の隊長が躊躇《ちゅうちょ》なく謝意を表したのだ。簡単にできることではない。それはホルへの器の大きさを示しており、だからこそ兵は彼に命を預け、死と隣り合わせの壁外に飛び出せるのだろう。

「保守派が世論を味方につけて勢力を強めている。私たちには時間がないというわけだ」

「連中は門をふさぐかもしれねえ」

「必然的に調査兵団は解散か。やり口が陰湿っていうか、保守派らしい方法論っていうか」

「保守派の台頭は工房《うち》にとっても都合が悪《わり》い。工房と兵団は持ちつ持たれつ。分かんだろ、そのへんのあれこれは」

「職にあぶれる連中がわんさか出るだろうな。俺《おれ》を含めて」

だが一番の問題は発注が減ることでもなければ失職することでもない。技術が発展する機会を失ってしまうことだ。職人が作る武具は効率よく敵を殺すためのものだが、その過程で生み出された生活必需品も多い。氷爆石《ひょうばくせき》からガス焜炉《こんろ》を連想したようなものである。

「つまり調査兵団《あんたら》は保守派を黙らせたいわけだ」

「あまり大きな声では言えないが、そのとおりだ」

ホルへは神妙な顔で頷《うなず》くと、話を続ける。

「彼らを黙らせるには、それ相応の手土産が必要になる」

「巨人の首か」

「巨人は倒せる。それを証明できりゃ、保守派《やっこさん》も黙るって寸法だ」

「それだけではない。住民も安心して暮らせるようになるだろうし、壁外に希望を見出《みいだ》すこともできるはずだ」

ホルヘは調査兵団の未来だけではなく、人類の行く末についても考えているようだ。最前線で体を張って戦う調査兵団と、内地でふんぞり返って権力争いをしている政治屋とでは志からして異なるのだろう。もとよりアンヘルの腹は決まっていたが、ホルヘの想《おも》いを知ることで、それはより強固なものへと変わった。

「巨人は倒せるはずだ。根拠はないが、そうじゃなきゃおかしい」

アンヘルは断言した。

「生きている以上、殺すこともできる、か」

ホルヘは思案顔で話を続ける。

「君は私的に巨人の調査を行っていたようだが、何か手がかりは得られたのか？」

ホルヘの不意打ちに、アンヘルは「へっ⁉」と声を裏返した。

「まさかおめえ、バレてねえとでも思ってたのか？」

「あ、いや、それは……」

アンヘルはしどろもどろで答える。

「不手際は認めるし、多くの死傷者を出したのも事実だが、けっして無能ではないよ」

「なんていうか、その……。すみません」

「責めるつもりはない」

「そもそも、どうこうするつもりなら、とっくに捕まってんだろ？」

カスパルの指摘に、アンヘルは「ムムム」と唸《うな》る。

「私としては君と情報を共有し、協力しながら巨人に対応していきたい。どうだろうか」

「そもそも俺《おれ》が提案したことだし、願ってもないけど、たいした情報を持ってるわけじゃない。あんたらのほうが詳しいだろ？」

アンヘルは壁上で得た巨人の情報を伝えるが、その大半は外見上の特徴である。

「巨人の調査は始まったばかりだ。いずれは弱点に通じる何かも見えてくるだろう」

「いずれにせよ、俺は御役御免《おやくごめん》だな」

「寝言を言ってんじゃねえぞ。これからだろうが！」

カスパルの怒声に、アンヘルは反射的に首をすくめる。

「調査が進めば、弱点に対応した武具が必要になってくる」

「発注が増えて工房《うち》はガッポリってわけだ」

「俺の懐はサッパリだけどな」

アンヘルは「フンッ」と鼻を鳴らす。

「ところで、どうやって巨人の調査を？」

「そこで早くもおめえの出番ってわけだ」

「調査と言っても知りたいことは一つしかない」

「殺せるかどうかだろ？」

「そのとおり」

ホルへは神妙な顔で一つ頷《うなず》く。

「どこが急所なのか、どれだけ痛めつければ死ぬのか、それを調べることが任務になる」

「動物実験ってところか」

「幸い、被験体は一体ですむ」

「たったの？」

「知ってのとおり、巨人の快復力は桁違《けたちが》いだ。蜥蜴《とかげ》が千切れた尻尾《しっぽ》を再生させるように、彼らの手足もまた復元する。しかも、ものの数分で」

「とんでもねえ化け物には違いないが、実験するには好都合だろう？」

「死ぬまで切り刻めってことか」

四肢を失っても数分で完治するのだから、被験体としては言うことなしであり、一体だけで十分なのはそのような理由である。

「けど、簡単には調べさせてくれないだろ？」

「察しが悪《わり》いな。そのための何かを作れって依頼だろうが」

「君には巨人を捕縛するための装置を開発してもらいたい」

「捕縛するための装置――。捕縛ネットみたいなものか」

だが巨人を捕獲し、動きを封じこめるとなると、それに耐えうる強度が必要だ。

「いきなり難易度が高いな」

「なんでえ、やる前から降参《ギブアップ》か？」

「まさか」

アンヘルは即答するが、捕縛ネットの製作は一朝一夕にはいかないだろう。巨人の理不尽な力を見せつけられた後なので、なおさらである。

「遠征の予定は？」

「一月《ひとつき》後を予定している」

「ずいぶんと早《はえ》えな」

「当然、それまでに捕縛ネットが必要ってわけだ」

「もはや遠征に出られるような風潮ではなくなっている。次が最後かもしれない」

「失敗は許されない、か」

だしぬけに緊張が高まるが、職人としては一歩も退けなかった。

（ここが分岐点かもしれない）

籠《かご》の鳥として慎《つつ》ましやかに生きていくか、それとも困難を承知で籠《それ》を飛び出すか。

前者は巨人と決別する代わりに、人類は緩やかに衰退していくだろう。後者は茨《いばら》の道だが、人間という種《しゅ》の未来にはわずかだが希望が残った。

（すべては巨人が倒せるかどうかにかかってるってわけか）

しかも成否を左右するのは捕縛ネットなのだから、否応《いやおう》なく緊張感は高まってくる。

アンヘルは体をブルッと震わせる。

「チビッたのか？」

冷やかすカスパルに対し、

「武者震いだ」

アンヘルは不満顔で答えると、捕縛ネットについて考え始めた。

×　×　×

「君は私に感謝しなければならない」

開発室にやってくるなり、ゼノフォンは寝言を口にした。アンヘルは「はぁ……」と、これみよがしに溜《た》め息《いき》をつく。ゼノフォンの相手をしている余裕などなかったからだ。

アンヘルの脳内を占拠しているのは捕縛ネットである。それ自体は投網を土台《ベース》にして簡単に作れるが、問題は網の強度だ。《装置》でも使用した鉄線《ワイヤー》を編んで網にしようと考えたが、強度に不安があるのは証明ずみだった。巨人の動きを封じるのは難しいだろう。

「用がないなら出て行ってくれ」

「それはまた御挨拶《ごあいさつ》ですね。せっかく役に立つ物をお持ちしたのに」

「役に立つ？」

アンヘルは首を傾《かし》げると、ゼノフォンへと目を向けた。

「ネットに使う素材を探しているのでしょう？」

「どうしてそれを……」

「私のところにも依頼がきたのですよ」

ゼノフォンは口元に笑みを浮かべると、自慢の短刀を掲げてみせた。

「調査兵団が所持する短刀を用意することになりました」

「殺《や》る気まんまんだな」

「そうでなくては困るでしょう？」

「確かに」

アンヘルは頷《うなず》いた。

「ところで、さっき気になることを言ってたな。素材がどうこうって」

「巨人を捕縛するには、ネットにもそれ相応の強度が求められる。でしょう？」

「あるのか？」

「ありますよ」

ゼノフォンは拍子抜けするほど簡単に言い放った。

「貴男《あなた》も知っているはずです、その素材のことを」

「俺《おれ》が知ってる？」

アンヘルは眉間《みけん》に皺《しわ》を寄せると、即座に脳内をまさぐり始める。ゼノフォンの話が本当なら、アンヘルは自分が間抜けだと公言したも同然だ。職人としては恥ずべきことであり、そのへんの心情を汲《く》んでいるのか、ゼノフォンは答えを口にしなかった。

アンヘルは記憶の糸を次々とたぐり寄せていく。

（記憶の糸、か……）

頭に雑念がよぎったとき、ふとアンヘルは閃《ひらめ》いた。

「そうか、糸か」

「御名答」

ゼノフォンはピューと口笛を吹くと、懐から黒金竹《くろがねだけ》の葉を取り出した。

「葉の繊維を紡いで網を作る。つまり、そういうことか」

「葉っぱとはいえ強度は変わりません。強靱《きょうじん》なネットができるのではないかと」

黒金竹の強度は折り紙つきだ。その繊維で作った捕縛ネットは最強と言えるだろう。

「では、さっそく出発の準備に取りかかってください」

「出発？」

「黒金竹の伐採ですよ。材料がなければ始まらないでしょう？」

網を作るには多量の葉が必要になる。ゼノフォンも短刀の製作で相当量の黒金竹を調達しなければならない。材料は同じなので協力し合えば効率化できると考えたのだろう。

「工場都市へ行く手筈《てはず》も整えています。さっそく支度をして出発しましょう！」

ゼノフォンは興奮ぎみに用件を伝えると、さっさと開発室を出て行った。素材を調達するついでに筍《たけのこ》でも掘りそうな雰囲気である。

「やれやれ」

アンヘルは呆《あき》れると、捕縛ネットについてあれこれと思案をめぐらせた。

×　×　×

黒金竹《くろがねだけ》が生えているのは工場都市の北部に位置する山岳地帯だった。

『ウォール・シーナ』に程近いその場所は非常に険しく、登山道すらない未踏《みとう》の地だ。かろうじて獣道は存在したが歩きにくく、視界は鬱蒼《うっそう》とした草木によって遮られている。好き好んで足を運ぶ場所ではないが、だからこそ黒金竹は今まで発見されなかったのだろう。

「『ウォール・シーナ』にお住まいの皆さんは、このような苦労とは無縁なのでしょうね」

ゼノフォンは泳ぐような手つきで草をかき分けている。

「あそこに住んでるのは王族を始めとした特権階級の連中だからな」

もしくは富裕層など、金を積んで『ウォール・シーナ』の市民権を得た者たちだ。一般市民には縁のない話だが、国に貢献することでも市民権は得られる。手っ取り早い方法としては兵になって功績を残せばよく、貧困層がそこから抜け出す唯一の手段でもあることから、兵団に入ろうとする者はあとを絶たなかった。

「私も王族に生まれたかったです」

「不自由なだけだろ」

「なんの苦労もありませんよ？」

「政争に巻きこまれて暗殺とかあるんじゃないか？」

実際、保守派と革新派は啀《いが》み合《あ》っており、かかわってもろくな目に遭わないだろう。

「職人としての一生も悪くはないさ。それに『ウォール・シーナ』の市民権なら、巨人を倒せれば御褒美としてもらえるかもしれない」

「なるほど。ではその手でいきましょう」

「いきましょうって、俺《おれ》は関係ないだろ」

そんな雑談を交わしているうちに、前方から竹林が見えてきた。銀白色をしたその竹が黒金竹《くろがねだけ》であり、群生しているせいかあたりは雪でも降ったかのような寒々とした印象だ。

「黒金竹も、もとはそのへんに自生する竹と変わらないのかもしれません」

ゼノフォンは腰を落とすと、黒金竹の稈を指差した。よくよくそれを観察すると、太さや色にはかなりのバラつきがある。

「黒金竹と呼ばれるようになるには、それなりの年月が必要なのでしょう」

「地下には希有金属《レアメタル》が眠っているのかもしれない」

「いっそのこと掘り起こしますか？」

ゼノフォンの問いに対し、アンヘルはしばし思案する。埋蔵されている金属と黒金竹《くろがねだけ》が同一であるという保証はない。竹が土中の成分を蓄え、その結果として黒金竹ができるのだとしたら、地下に眠る金属には大した価値はないだろう。

アンヘルは自分の考えをゼノフォンに伝えた。

「なるほど。掘り起こしたら値打ちはなくなるかもしれませんね」

「竹なら放っておいても生えてくる。掘る手間も省けるだろ」

「では、さっそく伐採を始めますか」

アンヘルとゼノフォンは黒金竹で作った短刀を手にすると、竹の乱伐を開始した。

×　×　×

調査兵団全員に短刀を支給するには、相当量の黒金竹が必要だった。具体的には短刀六十本分で、竹林の一部が丸裸になったほどである。全体の十分の一ほどなので採りつくしたわけではないが、黒金竹の価値が知れ渡ればそれも時間の問題だろう。竹林が王政府の管理下に入るのは確実だが、輪伐で調整すれば供給も安定するに違いない。竹なので鉱石とは異なり枯渇の心配もなく、生命力も強いので管理もたやすかった。竹が黒金竹に変化するのに何年かかるかは不明だが、それもじきに判明するはずだ。

捕縛ネットと短刀の製造は工場都市で行われた。短刀はゼノフォンの指揮のもと工房総出で行われ、唯一アンヘルだけが捕縛ネットの製作を行っていた。網の製作は単純作業の連続である。黒金竹の葉を熱して繊維のみにし、それを紡いで糸に変え、何本かまとめて紐状《ひもじょう》にしていく。それを編みこんで網にするのだ。作業は簡単だが、だからこそ根気が必要だったのである。

結局、工場都市での作業を終え、シガンシナ区に戻ってきたのは遠征の二日前だった。

×　×　×

酒場は大いに賑《にぎ》わっていた。

まだ外は明るく、日没まで時間はあるが、五十名ほどが収容可能な店はすでに満員御礼だ。店内は酒と煙草《たばこ》の臭《にお》いで満たされており、それだけで酔ってしまいそうなほどである。実際、客の半数は上機嫌で、今日はどこそこの建物が再建したとか、誰《だれ》それが退院したなど、飛び交う話題も明るい。意外にも調査兵団の遠征も明るい話題の一つに含まれていた。もっとも彼らが期待しているのは成果云々《うんぬん》ではなく凱旋《がいせん》パレードではあるのだが。

ともあれ巨人騒動で高まっていた自粛の風潮《ムード》も徐々に緩み、街にも活気が戻り始めていた。心の傷が癒《い》え、思い出に変わるには時間がかかるだろうが、よい兆しである。

「で、苦労の成果がこれというわけだ」

アンヘルはテーブルに黒金竹で作った短刀を置いた。それを受け取ったのはテーブルを挟んだ向こう側に座っているソルムだ。その隣にはマリアの姿もある。

「人手が足りてなかったから、俺《おれ》が研いだんだ。感謝しろよ」

「鈍刀《なまくら》か？」

ソルムはからかうような口調で短刀を抜くと、刃の鋭さを確認していく。

「一応、刃らしいものはついてるな」

「嫌なら返せ」

「いや、ありがたく頂戴《ちょうだい》しておこう」

ソルムは短刀を鞘《さや》に収めると手元に引っこめた。

「おまえの目つきのほうが、よっぽど切れ味鋭いんじゃないか」

アンヘルは苦笑いすると、テーブルに置かれた杯《グラス》に手を伸ばした。そこには果実酒がなみなみと注がれている。

「捕縛ネットのほうはうまくいったの？」

「裁縫に目覚めそうだ」

「それはよかった」

マリアはニコリと笑うが、不意に表情を曇らせた。

「遠征に同行するって話、本当なの？」

「ああ」

「危険すぎると思う」

「そのためにソルムがいる。体を張って守ってくれるさ」

アンヘルが遠征への同行を決めたのは、巨人の弱点を確認し、その情報を基に武具を開発するためである。壁外に行く以上、不測の事態は起こりうるが、臆《おく》していては何も得られない。人類が巨人の恐怖から解放されるには必要な作業だった。

「ゼノフォンは怖《お》じ気《け》づいたらしいな」

ソルムは苦笑しつつ酒をあおる。

「一応、誘ってみたけど断られた。せっかくの機会を棒に振るなんてな」

「でも、まっとうな判断でしょうね」

「巨人に襲われるのは一度で十分だよな……」

巨人の姿を思い起こすだけで体に震えがくるほどだが、殺されに行くわけではない。殺しに行くのだ。恐れてなどいられなかった。

「話は変わるが――」

ソルムは改まった口調で話を切り出した。

「実は転属願いを出した」

「転属願い？」

「次回の遠征を最後に、オレは調査兵団から身をひく」

「理由は聞いてもいいのか？」

アンヘルの問いに、ソルムは頷《うなず》きを返す。

「おそらく次の遠征で調査兵団は一定の成果を出すだろう」

「常識を覆しに行くからな」

「何かしら結果を残したいと思っていた。それまでは頑張ろうと」

「巨人を倒すことが、それになるわけか」

「ああ」

「転属先は駐屯兵団ってところか。訓練兵の指導教官という道もあるかな。『ウォール・シーナ』の市民権を得て、悠々自適の生活を送るのもいいんじゃないか？」

「隠居するには早すぎる。これからは駐屯兵団として街を守っていくつもりだ」

「これでマリアも一安心ってとこか」

アンヘルはマリアの様子をうかがうが、彼女は安堵《あんど》どころか浮かない顔をしていた。

「どうかしたのか？」

「どうかするに決まっているでしょう？　遠征はこれからなのよ？」

マリアは大きな溜《た》め息《いき》をつく。

「ソルムの心配だけでも胃が痛くなるのに、アンヘルまで同行するっていうし。お腹《なか》の子に影響が出たらどうするつもり？」

「お腹《なか》の子って、まさか——」

アンヘルはソルムとマリアを交互に見つめた。

「本当か⁉」

「どうやらそうらしい」

「まだ実感はないけどね」

多少の戸惑いを見せていたが、二人とも喜びのほうが遥《はる》かに上をいくようだ。はち切れんばかりの笑顔がそれを裏付けていた。

「そうか。親になるのか……」

子供の誕生はアンヘルにとっても大きな喜びである。

ソルムとマリアは家族も同然で、そこに新たな家族が加わるのだから感動も一入《ひとしお》だ。

(親を知らない二人が親になる、か。きっと親バカになるぞ)

自分たちが幼少時に感じた寂しさも、生まれてくる子供は感じずにすむだろう。

「オレたちが親なら、おまえはおじさんってところか」

「お兄さんと呼ばせるに決まってるだろ」

アンヘルは速やかに指摘すると、手を上げて店員に合図を送る。

「とにかく今日は前祝いだ。じゃんじゃん飲もう」

「それはいい提案《アイデア》だ」

「ちょっと！　それで遠征に支障が出たとかやめてよね」

マリアは呆《あき》れた。

× × ×

黎明《れいめい》を告げる光が常闇《とこやみ》を照らした。

それは速やかに闇《やみ》を駆逐し、薄ぼんやりとした街に色彩を与えていく。空にはいくつか雲が浮かんでいるが天気は上々。鮮やかな青空は穏やかな一日を約束してくれるだろう。

そうは言っても明け方の空気は身を切られるほどの冷たさだ。外套《マント》をまとい、頭巾《フード》を被っていても冷気が骨身にこたえる。アンヘルは軟弱な体を恨めしく思うが、前方で整然と隊列を組む兵は寒さを感じないのか微動だにしない。同じ衣服を着用しているにもかかわらず、である。筋肉という名の鎧《よろい》が冷気を遮断しているのだろう。

先頭には隊長であるホルへと二名の副長が控えており、それに班長指揮下の一班から五班が続いている。総勢六十名の集団だ。アンヘルは隊の中央に位置する三班に属し、班長はソルムが代理で務めていた。

調査兵団の歴史の中でも関係者以外が遠征に参加するのはきわめて稀《まれ》なことだ。本来は十班まで存在するが、前回の遠征で多くの兵を失い、さらには巨人の侵入に端を発する一連の騒動で兵の補充ができなかったため、やむなく隊を再編成したのである。やや特殊な状況だが兵に気負った様子はない。日々の鍛錬により、ありとあらゆる困難に対応できる鋼の精神を身につけているのだろう。

これ以上は望めない最強かつ最高の布陣だが、それでも不安は湯水のごとく湧《わ》いてくる。緊張からか、アンヘルは体をブルッと震わせた。

「だから小用《トイレ》は先にすませておけと言っただろう？」

からかうような声で話しかけてきたのはソルムだ。

「今なら引き返せるぞ。どうする？」

「あほぬかせ」

「ならいいんだがな」

ソルムは笑うと、ゆっくりと空を振り仰いだ。つられるようにアンヘルも上空へと目を移す。二人がくだらない雑談をしている間に空はずいぶんと明るさを増している。

列の先頭へと目を向けると、ホルヘが右手を高々と掲げていた。

「出立！」

ホルヘが掛け声を上げると、巨大な門がゆっくりと開かれていく。見えてきたのは人の手が入っていない荒涼とした大地だ。

開門と同時に調査兵団の進行が始まる。一気に緊張感が高まり、アンヘルの胸の奥で心臓が暴れ出した。変調でもきたしたのか、全身から嫌な汗が噴き出してくる。

「さて、巨人の姿でも拝みにいくか」

ソルムはアンヘルの肩を思い切り叩《たた》くと、一足先に馬を進めていく。

痺《しび》れるような一撃でアンヘルは我に返ると、両頬《りょうほほ》を張って気合を入れ直した。

「……馬鹿力《ばかぢから》が」

アンヘルは苦笑いすると、慌てて馬を走らせた。

×　×　×

調査兵団は道なき道を南方に疾駆していた。

シガンシナ区を出発してから二時間が経過し、日もずいぶんと高くなっている。冷たかった空気も角が取れて柔らかくなっていたが、景色は出発時からさほど代わり映えしない。若干、木々は増えていたが、変化と言えばそれだけだ。街や村など文明が存在した形跡は確認できず、見かけるのは動物ばかりである。肝心の巨人も今のところ確認できなかった。

(ずいぶんと遠くまで来ちまったな)

アンヘルは馬を常歩《なみあし》で進めつつ後方へと目を向けた。シガンシナ区から十キロほど離れているため『ウォール・マリア』も薄ぼんやりとしか視認できない。

(こんなところで巨人に襲われたら……)

アンヘルの体は自然と縮み上がる。訓練された兵馬とはいえ、十キロもの距離を一瞬で走破することはできない。どんなに急がせても十分はかかるだろう。

あらためて周囲を見渡すと、外の世界がいかに広大かがよく分かる。三百六十度どこを向いても地平が広がっているのだ。圧倒的な解放感である。だがそれと同時に不安を覚えた。大所帯で行動していたが、見知らぬ土地で迷子になったかのような孤独感である。

「子供のころ院長先生が話してくれたことがある」

並走するソルムが前を見据えたまま口を開いた。

「世界の大半は海と呼ばれる水で覆われているそうだ」

「海？」

「実際に見たのか、それとも書物による知識なのかは知らないが」

「大部分が海とやらにしては、水たまりすらないけどな」

アンヘルは周囲を見渡すしぐさをする。

「つまりオレたちは海《そこ》にすらたどり着いてないってわけだ」

「それじゃあ世界は……」

「とてつもなく広いってことさ」

そう考えると無闇《むやみ》やたらに広い荒れ野にも説明がつく。人間の感覚では広大に感じるが、別の視点で見ればたいしたことはないのかもしれない。

「この先に海ってやつがあるのかもしれないな」

アンヘルが目を凝らしたときだ。パンッと何かが爆《は》ぜる音が聞こえてきたかと思うと、

南の空に薔薇《ばら》にも似た深紅の狼煙《のろし》が花開いた。

それが確認されるや兵の間に緊張が走り抜けていく。

上空で炸裂《さくれつ》したのは信号弾の『赤星』であり、先行して偵察に当たっていた一班が「一体の巨人を発見した」という合図である。続けて『黄星』が上がった。

（一体の巨人を連れて戻る、か）

『赤星』と『黄星』の組み合わせから、一班の伝令を読み解くことが可能だ。

信号弾は周辺にいる巨人に対しても合図になりかねないが、彼らは耳を持ちながら音に反応を示さないという奇妙な特徴があった。

やや間を置いて『赤星』一発と『黄星』五発が上空で花開く。

（巨人の体長は五メートルってとこか）

アンヘルは胸に手を添え、意識的に大きく息を吐き出した。掌《てのひら》を介して伝わる胸の鼓動は、ずいぶんと速さを増しているようだ。

（大丈夫。すべて計画どおりだ）

巨人を捕縛して生態調査を行うこと。

それが遠征の目的である。巨人が複数であれば数に応じた『赤星』で合図を送るはずであり、その場合は無理をせず退却する予定だった。

（つまり決行ということだ）

体からじわりと脂汗が浮かんでくる。

「総員、配置につけ！」

ホルへの号令に従い、二班から五班の兵はV字形の陣形——すなわち鶴翼《かくよく》の陣を敷く。陣の中心には隊長のホルへ、両翼に二名の副長を配した布陣である。アンヘルは戦力にならない上に陣を乱しかねないので作戦には参加しない。外からなりゆきを見守るだけだ。

「来た……」

アンヘルの目が何かを捉《とら》えた。

遠方で発生した雲にも似たそれは、瞬く間に存在感を増していく。土煙だ。ほどなく前方から一班のものと思《おぼ》しい騎兵の姿が見えてきた。それは馬煙を引き連れながら見る間に近づいてくる。

「進めーっ！」

ホルへが号令するや否や、陣形を保ったまま進行が始まった。まるで一班を迎撃するような態勢だが、そうではない。その三百メートルほど後方には人類の怨敵《おんてき》である巨人が視認できた。見た目は十代後半の青年だが、体長は五メートルもある大男である。骨と皮しかないような貧相な体つきをしており、今にも泣きそうな表情だが、調査兵団に慰めてもらいにやって来たわけではないだろう。彼は必要以上に腕を前後に振り、何度も蹴躓《けつまず》きながら一班《エサ》を求めて走り続けていた。

一班は本陣に合流する直前に左右に分かれるが、巨人は勢いがついているせいか前進をやめない。陣の両翼を担う兵が捕縛ネットを手にした。ホルへの指示で左右に展開している兵が両翼包囲で巨人を囲んでいく。次の瞬間、巨人の頭上に捕縛ネットが放《ほう》られた。細かな網の目が手足に絡みつき、巨人はつんのめるように前方へと倒れ伏す。

「よしっ！」

固唾《かたず》を呑《の》んで様子をうかがっていたアンヘルは、小さくガッツポーズをする。

見たところ網の強度は申し分なく、破れる様子もない。もがけばもがくほど網は巨人の体に絡みつき、しまいには簀《す》巻《ま》きになって身動きが取れなくなった。

「おおっ！」

誰《だれ》からともなく歓声が上がるが、これからが本番だ。

兵は巨人を中心に方円《ほうえん》の陣を敷いて警戒態勢に入る。アンヘルは陣の中心に移動すると、馬を降りて巨人へと歩み寄った。ホルへと数名の兵がそれに続く。

「見れば見るほど人間とそっくりだ」

耳元まで裂けた大きな口《マンモン》を除けば、巨人は人となんら変わりはなかった。文字通り巨大な人だ。巨人とは異なり痩《や》せているが、見た目で判断するのは誤りだろう。栄養不足で干《ひ》乾《ほ》しになったかのような外見だが、餓死寸前とは限らない。

（けど、なんで人間に似た姿なんだ……。化け物なら化け物らしくしてろよ……）

巨人に情けをかけるつもりはない。だがなまじ人間に似ているせいか、変に意識してしまうのは事実だ。

アンヘルは巨人の二の腕に手を伸ばす。

(気味が悪いな……)

だが触れずにはいられなかった。

(巨人は人間とは違う。ただの化け物だ)

それを確認するには巨人に触ってみるのが一番である。

指先が巨人の皮膚に触れたとたん、アンヘルは違和感を覚えた。

(温かい……?)

巨人の肌は意外なことに温《ぬく》もりがあった。人間を食らうという残忍なやり口から、爬《は》虫類《ちゅうるい》と同じ変温動物ではないかと考えていたのだが、どうやら巨人は人間と同じ恒温動物のようだ。ただ体温は人間より高く、熱いくらいである。

「では始めるとしようか」

ホルへの指示で兵が鞘《さや》から短刀を抜いた。彼らは巨人の両膝《りょうひざ》に刀身をあてがい、そこを切り裂いていく。鮮血が流れる代わりに蒸気が勢いよく噴き出した。血液が沸騰しているのか、それとも新陳代謝の結果か、体温の裏付けにはなりそうだ。

「声一つ上げないとは。痛みを感じていないのか、それとも声帯が存在しないのか」

ホルへは兵の作業を見守りながら、そんな感想を漏らした。

巨人は泣きべそをかいているような表情をしているので、苦痛を感じているようにも見える。しかし巨人の表情は変化しないため、喜怒哀楽の何を示しているのかは判断できない。

兵は黙々と作業を続けている。黒金竹《くろがねだけ》で作った短刀は巨人にも有効だったが、それでも一刀両断とはいかないようだ。皮膚は切れても骨を断つのは一苦労らしく、どうにかこうにか切断したときには兵は汗だくで、息もかなり上がっていた。黒金竹の強度ですらこれなのだから、鋼程度では歯が立たなかったのも頷《うなず》ける。切断面を見ると、骨や血管、筋肉など、人間と同様の組織が確認できた。医学の知識はないが、標本《サンプル》を持ち帰れば巨人を知る手がかりになるだろう。しかし切断された足を回収しようとした矢先、それは蒸気を放ちながら急速に風化を始め、灰塵《かいじん》と化して風にさらわれていった。

「どうなってんだ……」

アンヘルは目の前の現象を解釈しようとするが、納得できる理由は見つからない。足《サンプル》が消失する一方で、早くも巨人の足は復元を始めていた。傷口は塞《ふさ》がり、瘡蓋《かさぶた》でも作るかのように肉芽《にくが》が生えてきたのだ。それは速やかに足を形成し、数分後には完全に再生を終えてしまう。前にホルへは巨人の再生能力を蜥蜴《とかげ》の尻尾《しっぽ》に喩《たと》えたが、まさにそのような印象である。再生する速度に大きな差はあったが。

(本当に生き物なのか?)

化け物であれば常識など不要だが、巨人はアンヘルと同じ世界に住む生き物だ。

(つまり巨人は驚異的な快復力を有する生き物、ってことになる)

だが、とても納得などできなかった。

(悩んでいても始まらないか……)

膝《ひざ》から下に弱点がないと分かったのだ。巨人への理解度が増したと考えるべきだろう。

アンヘルは気持ちを切り替えると、馬具《サドルバッグ》から爆弾を取り出した。そこには、ちょっとした火薬庫並みの爆弾が収まっている。ゼノフォンが張り切って調合した爆薬の数々だ。

「切断は時間がかかりすぎる。効率化しよう」

アンヘルは手にした爆薬を巨人の手足に仕掛けると、速やかにそれを起爆した。巨人の手足は吹き飛ぶが、肉片の大半は網のおかげで内部に留《とど》まったままだ。肉片は先ほどと同じように塵《ちり》に変わり、欠損部分は瞬く間に復元していく。人間であれば出血多量で死に至るところだが、巨人にそのような様子はない。

続いて下腹部の爆破へと移行するが、よくよく観察すると生殖器は確認できなかった。

「巨人に性別ってあるのか?」

外見は男に見えても実は女であるという可能性も残されていた。あるいは雌雄同体とも考えられたが、そもそも生殖器がないのに繁殖できるとは思えない。

（生殖活動を必要としていない？　さすがに分裂ってことはないよな）

だが巨人は理不尽を具現化した存在だ。切り落とした手足から本体が再生されたとしても不思議はなかった。

（まさかな……）

アンヘルは最悪の状況を想像して総毛立つ。しかしすぐに頭を振って気持ちを立て直すと、下腹部の爆破に取りかかった。爆音と同時に下腹部が破裂し、桃色にてらてらと輝く臓物が腹から溢《あふ》れ出《で》てくる。それでもなお巨人の生命力は衰えない。

（なんてヤツだ）

啞然《あぜん》とするアンヘルの目の前で、巨人の体は早くも再生を始めていた。

（本当に不死身なのか……）

アンヘルは腰に提げた短刀を抜くと、巨人の胸元にそれを突き刺した。その切っ先は皮膚を貫き、骨を砕き、柄までずぶりとめりこむ。短刀は心臓を串刺《くしざ》しにしたはずだが、巨人に息絶える様子はない。

「くそっ！」

アンヘルは吐き捨てると、巨人の頭部に向かって歩を進める。

巨人はアンヘルの姿を認めると、身動きが取れないにもかかわらず口を大きく開いた。

手足を吹き飛ばされ、胸には短刀が突き刺さったままだが、そのような事実は気にも留《と》めていないようだ。動ける限りは食らい続けてやると、巨人の姿が雄弁に物語っている。その常識外れな反応にアンヘルは半ば呆《あき》れ、半ば恐れを抱いた。

「頼むから死んでくれ」

アンヘルは深い闇《やみ》が広がる巨人の口腔《こうこう》を睨《にら》みつけると、その中に爆弾を放《ほう》りこんだ。そのとたん、巨人の頭部は爆《は》ぜ、噴火でもするかのように頭蓋《ずがい》が吹っ飛んでいく。顔の皮膚が捲《めく》れ、表情筋の一部が痙攣《けいれん》するかのようにぴくんぴくんと蠢《うごめ》いた。恨み言の一つでも口にしたいのだろうが、顔の大半は飛散しており、面影すら残っていない状態だ。爆破の衝撃で形を保てなくなったのか、スープ状の脳味噌《のうみそ》が割れた頭からどろりと流れた。

それは正視に堪えない残酷《ざんこく》な光景だ。しかしながら巨人を哀れむ気持ちにはなれない。

（コリーナは……。おまえらが食らった人間の苦しみは、こんなもんじゃない）

巨人《マンモン》の一撃で肉の塊と化したコリーナの姿は、今も鮮明に記憶している。亡くなった者の無念と遺族の悲しみは、何をしても晴れたりはしないだろう。

巨人は恐ろしい。だが再生能力に目をつけ、体を破壊し続ける行為も悪魔の所行だ。

（ろくな死に方をしないだろうな……）

だとしたら今さら巨人に慈悲を施す必要はない。感情に蓋《ふた》をして、心を鬼にするまでだ。

頭部の破壊が効いたのか、巨人はグッタリとしている。

「殺《や》ったか？」

確信はない。そもそも何をもって死を定義するべきかも分からなかった。人間であれば脈を測れば生死を判定できるが、巨人にそれが通用するとは思えない。

（思えないが……）

アンヘルは巨人の首筋に手を伸ばす。

（もし脈がなかったら……。もし巨人《こいつ》が動き出さなかったら……）

それを巨人の死と認めてもよいのかもしれない。

それでも不安は残る。巨人の体が跡形もなく消えるまで、それはついて回るだろう。

（いっそ体を粉微塵《こなみじん》に破壊しつくすか）

そんな無慈悲な方法を思いついたときだ。

「敵襲！」

南方を警戒中の兵が声を張り上げた。

続いて西方を見張る兵までもが怒鳴るような勢いで警報を発する。

「敵襲!!」

その報告は速やかに伝わり、騒然とした空気が場を満たしていく。

「こんなときに……」

巨人の調査は不完全で、まだ確かめることが山ほど残っている。それを確認するまでは立ち去るわけにはいかなかった。

「撤収用意！」

ホルへは素早《すばや》く馬にまたがり号令を行う。

だがアンヘルは渋った。せめて巨人の死を確認したかったのだ。

「日を改めるとしよう」

「でも次はないかもしれないいんだろ？」

「ここで被害を出すほうが、よほど次回の遠征に響く。そうは思わないか」

切迫した状況ではあるがホルへは沈着冷静で、周りの様子もよく見えていた。

そもそも敵は四半世紀強もの間、不死だと信じられてきた怪物だ。それを数十分でどうにかするなど無茶《むちゃ》な話である。ホルへの提案どおり、あらためて調査を行うべきだろう。

（必要なら何度でも、だ）

アンヘルは納得すると、巨人を一瞥《いちべつ》してから馬にまたがる。

（次に来たとき、巨人《こいつ》がどうなってるかだ）

腐敗していれば死亡と判断してもよいだろう。

（もし生きていれば……）

そのときはそのときであると、アンヘルは自分自身に言い聞かせる。わりと簡単に納得できたのは、人類を鳥籠《とりかご》から解放する方法論の一つに気づいたからだ。

（倒せないなら、ふん縛《じば》ればいい）

巨人の個体数は不明だが、捕縛ネットで一体ずつ地道に捕まえていけば、いつかは駆逐できる。

（気の長い話だけど、不可能じゃない）

兵は方円の陣を解くと、出発時と同じ縦隊を組み始めた。それに加わるべくアンヘルが馬を進めたときだ。ぶちぶちと糸が千切《ちぎ》れるような音が背後から聞こえてきたのは。

振り向いた瞬間、アンヘルは目を剝《む》いた。枯れ枝にも似た巨人の細い腕が、捕縛ネットを突き破って飛び出していたからだ。

「クッ……。爆破で脆《もろ》くなったか」

耐久性の問題が露呈する一方で、さんざん痛めつけたはずの巨人の体は復元していた。生命力にも陰りはない。巨人は網を引き裂いて呪縛《じゅばく》を払《はら》い除《の》けると、猛然と走り始める。

「なんて奴《やつ》だ……」

巨人はたじろぐアンヘルには目もくれず、隊を側面から強襲した。より多くの人間《エサ》を求めたのだろうが、襲いかかる間もなく巨人はつんのめってしまう。派手な土埃《つちぼこり》が舞い上がり、それに驚いた馬が嘶《いなな》きとともに前脚を跳ね上げた。騎乗者の何名かが馬から振り落とされ、地面を転がっていく。

つっぷしていた巨人が緩慢な動作で上半身を引き起こした。地面に手をついた際、たまたまそこにいた不運な兵が下敷きになり、断末魔の叫び声を上げる。巨人は悶絶《もんぜつ》する兵の頭部を指先でつまむと、それをゆっくりと持ち上げた。力を入れすぎたのか頭蓋骨《ずがいこつ》が砕け、それによって完全に息の根を止められた兵は、何度か体を痙攣《けいれん》させたのち動かなくなる。だらりと下がった手足から血が滴り落ちた。巨人は耳元まである巨大な口を開き、兵の体を貪《むさぼ》っていく。骨が砕かれる嫌な音があたりに響いた。

「アンヘル！　後ろっ!!」

ソルムが叫ぶ。

（しまった……）

不意に背後から聞こえてきた足音にアンヘルは戦慄《せんりつ》した。振り返るまでもない。何が迫っているかは察しがつく。眼前の巨人に気を取られて接近に気づけなかったのだ。

何かを食《は》んでいるのか、それとも舌なめずりか、くちゃくちゃという耳障りな音が聞こえてくる。アンヘルを食料《エサ》としか見ていないのだろう。相手を確認したい衝動に駆られるが、そのような余裕はない。一秒でも早く行動を起こす必要があった。

アンヘルは馬の腹を蹴《け》って急発進する。背後で獣じみた咆哮《ほうこう》が上がったかと思うと、腐臭を孕《はら》んだ熱い吐息が首筋を嘗《な》めていく。

（ダメか……）

アンヘルが死を意識したそのとき、前方から発砲音が押し寄せてきた。間を置かず風切り音がアンヘルの耳元を通過していく。背後で何かが倒れる音がした。

「急げっ！」

前方へと目を移すと、騎兵銃を構えるソルムの姿が確認できた。

アンヘルは馬を加速させる。振り返ると眉間《みけん》に風穴を開けた三メートル級の巨人が仰向《あおむ》けで地面にひっくり返っていた。

（助かった……）

だが安堵《あんど》したのも束《つか》の間《ま》、南方から見覚えのある巨人が突撃してくる。

「巨人《マンモン》――」

ぶよぶよに肥えた肢体を上下に揺らし、見た目からは想像もつかないほどの走力で押し寄せてきたのは、シガンシナ区に乱入し、コリーナを食らった例の巨人だ。中年姿の巨人は以前と同じ会心の笑みを浮かべており、両手を前方に突き出しながら猛然と駆けてくる。それが地面を踏みつけるたびに雷鳴にも似た地響きが轟《とどろ》き、派手な土煙が上がった。

「ああっ……」

アンヘルの口から言葉にならない悲鳴がこぼれ落ちた。

十メートルもの巨軀《きょく》を誇る異形に抱擁されでもしたら、人間などひとたまりもないだろう。可及的速やかに尻尾《しっぽ》を巻いて逃げなければならない。

「各自、散開しつつ撤退せよ！」

ホルへが号令をかけるが、巨人は瞬く間に距離を詰めてくる。兵はホルへの命令に従って馬を走らせようとするが、地鳴りを引き連れて猛進する巨人の姿に怯《おび》えたのか、何頭かの馬は制御不能におちいっていた。その間に巨人は到着し、手近な餌《えさ》に狙《ねら》いを定める。

「う、うわあああああっ！」

猛者と名高い調査兵団の兵があられもない悲鳴を上げる。巨人は脂肪でだぶついた右腕を頭上に掲げると、掌《てのひら》で兵を叩《たた》き潰《つぶ》した。

「人間は……。人間は虫じゃないんだぞ……」

巨人は兵の頭部を指先でつまむと、それを口内へと運ぶ。そして味わうように口を蠢《うごめ》かすと、頭部のみを器用に取り除いて地面に放《ほう》り投《な》げた。唾液《だえき》まみれの生首が地面を転々と転がっていく。土にまみれた兵の顔には恐怖の色がありありと浮かんでいた。

「好き放題やりやがって……」

だが敵討ちができる状況ではないし、そのような気持ちも芽生えてはこない。

巨人は次の食料《エサ》に手を伸ばすと、道端で見つけた木の実でも食べるかのような気軽さで兵を頬張《ほおば》る。

「この化け物がっ！」

兵の一人が怒声を上げ、巨人に騎兵銃をぶっぱなした。

「馬鹿《ばか》が！　逃げるんだよっ‼」

アンヘルは叫ぶが、その声は兵には届かない。非業の最期を遂げた仲間の姿を目撃することで緊張の糸が切れてしまったのか、兵は銃を捨て、腰に提げた短刀を手にすると、罵声《ばせい》を上げながら巨人に突撃していく。

「かまうな……。行くぞ！」

ソルムは唇を噛むと、微かに震える指先で北を指し示した。アンヘルは頷《うなず》くと、馬の腹を蹴《け》って遁走《とんそう》を開始する。生き残った兵もホルヘを先頭に撤退を始めた。

背後から断末魔の叫び声が聞こえてくる。

（クソッ……。クソッ！）

アンヘルは胸中で毒づくが、振り返ったりはしない。前を見据えて馬を走らせるだけである。なけなしの勇気を絞り出して巨人に立ち向かったとしても犬死にするだけだ。巨人が兵をもてあそんでいる間に、一歩でも前に進むしかなかった。

（すまない……）

兵の死を無駄にしないことが、彼のためにできる唯一のことだ。

戦況は最悪だ。いや、戦況と呼べるものですらない。巨人による一方的な虐殺である。

悲劇はそれだけではない。早くも復活を遂げた三メートル級の巨人が前方から突進してくるのが見えた。アンヘルとソルムは左右に分かれて回避を試み、巨人は勢い余って二人の間を通りすぎていく。代わりに犠牲になったのは後続の兵で、背後から悲鳴が追いかけてきた。そこが阿鼻叫喚《あびきょうかん》地獄になっていることは火を見るよりも明らかだ。
(逃げるしかない。逃げるしか……)
用意できる最高の装備ですら撥《は》ね返す規格外の化け物だ。相手にするなど馬鹿《ばか》げている
し、自尊心も粉微塵《こなみじん》に砕け散っている。気持ちも萎《な》えてしまい、体は萎縮《いしゅく》していた。しかし
シガンシナ区までの距離は約十キロ。順調にいけば十分でたどり着けるはずだ。しかし
後ろから押し寄せてくる足音は、それがいかに困難であるかを雄弁に物語っている。
(頼む、急いでくれ……)
アンヘルは馬に鞭《むち》を振るう。こんな場所には一秒たりとも留《とど》まってはいられなかった。
巨人に捕まればおしまいだ。助けを乞《こ》おうにも言葉は通じず、泣き叫んでも許してはく
れない。巨人は心ゆくまで体を貪《むさぼ》り、肉片一つ残さずペロリと平らげるだろう。
脳内に描かれるその光景にアンヘルは顔を歪《ゆが》める。そして恐る恐る振り返った。目に飛
びこんできたのは遁走《とんそう》する一団を追いかけてくる三体の巨人だ。最後尾を走る巨人《マンモン》は前を
走る二体の巨人を押《お》し退《の》けると、両手を広げて爆走してくる。目の前の人間《エサ》を独占するつ
もりなのだろう。強欲そのものだ。悪夢の権化とも言えるその巨人は、無垢《むく》な赤子を思わ
せる最高の笑みを顔面に張《は》りつけている。
(急げ……。もっと速く……)
巨人との距離は三百メートルほど。それなりに距離はあるが、アンヘルの心に余裕はな

い。巨人の足音は間近に聞こえていたし、害意も痛いほど伝わってくる。ホルへは健在だが調査兵団はすでに半壊していた。

(門を潜るのが先か、それとも……)

巨人は確実に距離を詰めてきている。馬は襲歩《しゅうほ》を続けていたが、その速度は少しずつ落ち始めていた。いかに訓練された兵馬でも体力には限りがあるということだ。

(じゃあ巨人は……)

アンヘルは疑問を抱くが、すぐに考えることを放棄した。

(今は逃げることだけを考えろ!)

睨《にら》むように前を見据えると、遠方に『ウォール・マリア』が確認できた。距離にして約八キロ。アンヘルにとっては永遠にも思える長さだ。

隊の先頭を走るホルへが信号弾を立て続けに打ち上げた。上空で破裂した『黒星』により空は毒々しい黒色の煙で汚されていく。それは見張り台に立つ駐屯兵団の兵に向けての伝令である。「緊急事態発生」であると。

(とにかく大砲の射程内へ……)

そこに入れば巨人を倒せないまでも足止めはできるだろう。

問題は大砲の射程距離が二キロということだ。

『ウォール・マリア』は着実に近づいている。しかしその一方で馬は音《ね》を上げる寸前だ。

息遣いは喘鳴《ぜんめい》のような頼りなさで、いつ倒れても不思議ではなかった。走力も落ちている。

アンヘルは馬に鞭《むち》を打つが、速度はいくらも上がらない。

巨人の足音は真後ろにまで迫っていた。

アンヘルの影に巨大な人影が覆《おお》い被《かぶ》さっていく。

（クソッ……ここまでか……）

半ば諦《あきら》めかけたとき、並走するソルムが鞘《さや》から短刀を引き抜いた。

「おまえ、何を――」

アンヘルが質問を終える前に、ソルムは馬を反転させて巨人へと突撃していく。

「お、おい！」

泡を食ったアンヘルが振り向くと、ソルムは巨人の右膝《みぎひざ》を切りつけているところだった。ぱっくりと開いた傷口からは骨が見えるほどだが、巨人は体勢を崩すだけで倒れるにはいたらない。だが気勢を殺《そ》ぐには十分で、巨人はその場で片膝《かたひざ》をついた。

それを好機と判断したのか、ソルムは馬で巨人の周囲を走りながら短刀で体を切りつけていく。あっという間に巨人の下半身には無数の刀疵《かたなきず》が刻まれていった。

ソルムは驚くほどうまく立ち回っていたが、巨人は相変わらず笑顔のままで苦痛を感じている様子もない。傷口は早くも治り始めており、噴出した蒸気で姿がかすむほどだ。

（やはり巨人には……）

ソルムもそれは承知しているはずだが、かまうことなく短刀を振るい続けている。巨人は傷を治癒する間も与えられず、鮮血の代わりにもくもくとした蒸気を吐き出し続けた。

さすがの巨人も羽虫のごとく飛び回るソルムをうるさく思ったのか、大木にも似た巨大な腕を振り回している。大ぶりなのでソルムには当たらなかったが、直撃したら即死は免れない。見ているアンヘルはひやひやするが、戦闘力ではソルムに軍配が上がっている。

ソルムが巨人を足止めしたことで、先行する兵はかなりの距離を稼ぐことができた。この調子なら巨人に追いつかれる前に大砲の射程内に入れるだろう。幸運なことに後続の巨人は大幅に遅れている。三メートル級の巨人《マンモン》は巨人ほど人間《エサ》に執着しないのか手近にある死体に御執心で、痩《や》せた巨人は何度も躓《つまず》いているため追いつく気配すらない。

一定の成果が出たと判断したのか、ソルムは戦闘を切り上げて退却の準備に入った。

「ソルム！　急げっ‼」

アンヘルは大声を張り上げる。

ソルムは馬を走らせるが、めったやたらに振り回された巨人の腕が彼の体をかすめた。

「ぐう……」

勢いよく地面に叩《たた》きつけられたソルムは何度か跳ね、体をくの字に曲げて悶絶《もんぜつ》する。死なずにすんだのは不幸中の幸いだが、右足は折れているのか奇妙な方向にねじ曲がってい

た。状況から考えて、ソルムの怪我《けが》はそれだけではないだろう。

アンヘルは馬を急発進させると、ソルムのもとに急ぐ。巨人は両足に受けた怪我で思うように動けずにいたが、それも時間の問題だ。

「ソルム！」

アンヘルは叫ぶと、馬を走らせたまま右手を地面すれすれまで伸ばした。

「ソルム！　手をっ‼」

ソルムはアンヘルの意図を理解し、苦悶《くもん》の表情を浮かべながらも手を差し出してくる。

アンヘルはソルムの腕をつかむと、渾身《こんしん》の力で引き上げた。だがアンヘルの腕力ではうまくいかず、鞍《くら》の背部に引っかけるのがせいぜいだ。

アンヘルは馬をUターンさせると、大急ぎでシガンシナ区を目指して走り出した。

「死にたいのか！」

アンヘルは怒鳴ると、ソルムの行動を非難した。

「待ってろ。すぐに医者に連れてってやる」

だが馬は疲労困憊《ひろうこんぱい》であり、しかも重量オーバーだ。走破できるかさえ怪しい状態である。

「マリアに怒られるな……」

「俺《おれ》もだ」

「ああ見えて怖いところもあるからな……」

ソルムは忍び笑いを漏らした。

「急げ！　巨人《ヤツ》が来るぞ‼」

ホルヘが叫ぶが、馬はとうの昔に限界を迎えている。

「もうちょっとだ、頑張れっ！」

アンヘルは鞭《むち》で馬に気合を注入するが、悲しげに喘《あえ》ぐだけで速度は出ない。

背後から巨人の足音が聞こえてきた。

「アンヘル。爆弾《おもちゃ》は……。まだ残ってるか？」

「ああ」

アンヘルは馬具《バッグ》をまさぐって投擲《とうてき》弾を何個か手にすると、後ろ手でソルムに手渡した。

「うまく当ててくれよ。大砲の射程内に入れば逃げ切れる」

「……百発百中だ」

ソルムの声に生気はないが、発言は自信に満ちている。

「アンヘル……」

「どうした、さっさとやってくれ」

「マリアのこと、頼んだぞ」

「おい、それってどういう……」

不意にソルムの気配が消失し、馬の速度が上がった。

「ソルム⁉」

振り向いたとたん、アンヘルは目を疑った。ソルムが馬から飛び下りていたからだ。ソルムは短刀を杖《つえ》の代わりにして立ち上がると、迫り来る巨人を正面から迎え撃った。

「お、おい、やめろっ‼」

ソルムの足は折れており、戦うどころか歩行すら困難なはずだ。勝ち目はない。

巨人はすぐさまソルムに食指をのばした。ソルムは抵抗する間もなく鷲《わし》づかみにされ、巨人の口元へと運ばれていく。

だがソルムは素直に食べられたりはしなかった。

「おおおおおおおっ！」

ソルムは雄叫《おたけ》びを上げると、短刀を真横に薙《な》いで巨人の両目を切り裂いた。巨人の目からは涙はおろか血も流れてはこなかったが、不自由ではあるのだろう。巨人はソルムを解放すると、両手で顔面を押さえつけた。

自由を取り戻したソルムだが、逃げる方向とは逆に動いた。ソルムは短刀を巨人の喉元《のどもと》に突き刺すと、それを支点に体へと飛び移っていく。巨人は切られた目に気を取られ、ソルムに注意を払ってはいない。ソルムは腕力と残った左足を駆使して巨人の肩にたどり着くと、懐に忍ばせていた投擲《とうてき》弾を手にした。そしてすぐさま安全ピンを引き抜き、巨人の首筋にしがみつく。

「ソルムッ！　よせっ!!」

アンヘルが叫んだ次の瞬間、閃光《せんこう》とともに荒野に爆音が轟《とどろ》いた。ソルムの体は四散し、粉微塵《こなみじん》になった肉片がひび割れた大地を潤すかのようにぽたぽたと地面に落ちていく。

「ああっ……」

アンヘルは半ば呆然《ぼうぜん》とした表情でつぶやいた。体から力がごっそりと抜け落ちていくのが分かる。馬上でなければ、その場でへたりこんでいただろう。

ソルムが命と引き替えに放った一撃は、巨人の首を吹き飛ばしていた。支えを失った頭部は勢いよく地面に落下し、自重による衝撃で歪《いびつ》な形に変形していく。それでもなお巨人の顔から笑みが絶えることはなかった。

「あああああああっ！」

アンヘルは獣のような叫び声を上げると、馬に鞭《むち》を打った。馬は求めに応じて速度を上げ、荒野を全力で駆けていく。

「必ず……。必ず殺してやるぞっ！」

アンヘルは心に誓うと、敵の姿を瞼《まぶた》に焼きつけるべく振り返った。だがそこに見えたのは途方もない量の水蒸気である。巨人のものとおぼしい巨大な人影《シルエット》はかろうじて確認できたが、それだけだ。その影もすぐに形を失い、風にさらわれて霧散していく。残されたものは何もない。圧倒的な存在感を放っていた巨人は忽然《こつぜん》と姿を消していた。

「何が……起きた？」

引き返す余裕はない。痩《や》せた巨人が執念深く追いかけてきたからである。

遠方から砲音が聞こえてきた。

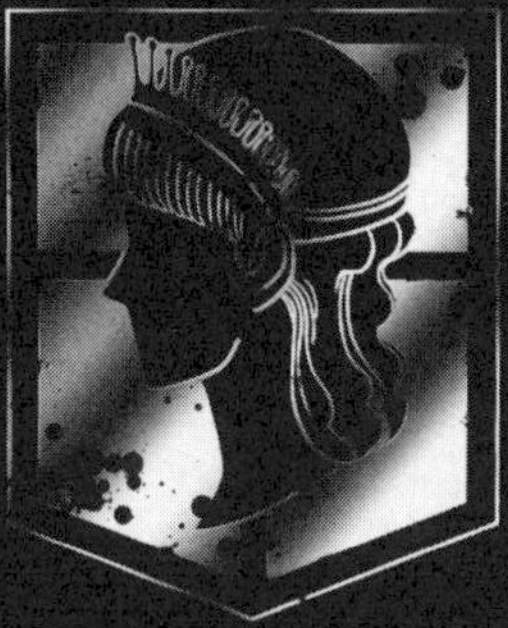

四章

アンヘルは夢を見ていた。巨人に襲われる夢だ。

それが夢だと知っていたのは、眠るたびに同じ光景を見せられていたからである。アンヘルの眼前には砂塵《さじん》が吹き抜ける不毛な大地が広がっており、そこには見上げるほどの大男が屹立《きつりつ》していた。巨人《マンモン》だ。彼が浮かべる不敵な笑みは忘れようにも忘れられるものではない。彼は人形でも持つかのような気楽さでソルムの体を鷲《わし》づかみにしていた。

「またか。またおまえはソルムを……」

苦痛を感じているのだろう。ソルムの顔は歪《ゆが》んでおり、口からは血の泡が溢《あふ》れている。

「おい、やめろ！」

夢に注文をつけたところで無意味だが、それでも叫ばずにはいられない。ソルムが苦しむ姿など二度と見たくはなかった。

しかし巨人《マンモン》はアンヘルの願いを聞き入れるつもりはないようだ。巨人は果実でも搾《しぼ》るかのようにソルムの体をぎゅうと握りしめる。四肢がありえない方向に折れ曲がり、裂けた皮膚から骨が飛び出し、鮮血が滴り落ちていく。

「あああああああっ！」

頭をかきむしって絶叫した瞬間、アンヘルは自分の声の大きさに驚いて目を覚ました。

「夢、か……」

だがあまりにも現実味《リアリティ》がありすぎた。心臓は早鐘のごとく打ち鳴らされていたし、多量の寝汗で下着までぐっしょりと濡《ぬ》れている。

（夢でまで襲われるなんてな……）

アンヘルは深呼吸を繰り返して乱れた呼吸を整えていく。

遠征から一週間が過ぎていたが、繰り返される悪夢にアンヘルの心と体は摩耗する一方だ。

（逃げ場なんかないってことか）

それもこれも惨憺《さんたん》たる結末に終わった遠征の影響だろう。巨人の生態を明らかにしようと息巻いて出発したにもかかわらず、敵の強大さを嫌というほど思い知っただけである。

（ソルムが巨人《マンモン》を足止めしてなかったら、俺《おれ》は今ごろ……）

人類の未来のために必要な作業だったとはいえ、その代償はあまりにも大きい。

（俺が遠征についていかなければ、あいつは死なずにすんだかもしれない）

遠征後、何度となく繰り返してきた自問自答だが、結論はいつも同じだ。

（ソルムなら言うんだろうな……。おまえのせいじゃないって）

アンヘルは体を起こすと、頬《ほお》を張って気合を入れる。

「とにかく前に進むだけだ」

自分に言い聞かせるようにつぶやくと、アンヘルはベッドから抜け出した。

だが立ち上がった瞬間、視界が飴細工《あめざいく》のようにぐにゃりと歪《ゆが》んだ。アンヘルは起きていられず、ベッドの端に腰をすとんと落とすと、指先でこめかみを押さえつけた。ろくすっぽ眠らせてもらえず、食欲もないせいか、体は想像以上に弱っているらしい。

アンヘルは己の貧弱さを嘆くが、体を気遣っている余裕はなかった。めまい程度で音《ね》を上げていては、ソルムとコリーナに笑われてしまう。

しかしアンヘルを突き動かしていたのは仲間への想《おも》いだけではない。使命感だ。

「俺《おれ》にはやるべきことがある」

アンヘルは歯を食いしばって立ち上がると、手早く身支度をして開発室をあとにした。

×　×　×

「ひでえ顔だな」

工房長室に足を運んだアンヘルは、開口一番、容姿にケチをつけられた。

遠慮のない感想を述べたのは、部屋の主であるカスパルだ。カスパルはソファーでふんぞり返っており、値踏みでもするかのような目でアンヘルをじろじろと眺めている。

「ぶっ倒れそうじゃねえか。ちゃんとメシは食ってんのか？」

「あんな光景を見せられたらな……」

寝るたびに遠征時の絶望感がまざまざと蘇《よみがえ》るのだから、食欲など湧《わ》くわけがない。

「俺のことより、例の件はどうなってる？」

「おめえはそればっかかだな」

カスパルは溜め息《たいき》をつくと、淡々とした口調で「音沙汰《おとさた》なしだ」と告げた。

それはアンヘルを落胆させるには十分すぎたが、めげはしない。

「もう一度、ホルへに掛け合ってくれ。大切なことなんだ」

「何度やっても結果は同《おんな》じだ」

「クソッ」

アンヘルは唇を噛《か》んだ。

「もう一度……。もう一度、遠征に行く必要があるんだ……」

「行ってどうするよ」

「巨人が殺せることを示す」

それを証明することが今のアンヘルのすべてと言っても過言ではなかった。

「俺は見たんだ。巨人が死ぬのを」

その光景は今も鮮明に思い出せる。ソルムが巨人《マンモン》に放った捨て身の攻撃は、単に巨人を足止めしただけではなかった。

（あの直後、巨人は煙になって消えていた）

人間の死とはまるで異なるが、アンヘルはそれと同義だと考えていた。巨人という脅威を排除できたのだから、過程はさておき得られる結果は同じであると。

おおよそだが巨人の急所も特定できている。だがそれを確定させるには、どうしても遠征で確かめなければならない。それには調査兵団の協力が不可欠であり、アンヘルはカスパルを通じてホルヘに打診していたのだが、いっこうに返事はこなかった。

「問題は、巨人が死ぬとこを見たのがおめえだけってことだ」

「……俺《おれ》がデタラメを言ってると？」

「そうじゃねえ」

カスパルはスキンヘッドをなでると、アンヘルの様子をちらりとうかがう。

「だがおめえしか見てねえとなると、どうにも証明するのは難しい。だろ？」

「でも俺は……」

「ああ、分かってる。おめえは巨人がおっちぬとこを見たんだろうよ」

カスパルはアンヘルの話を疑いもしなかった。

「ここだけの話だが——」

カスパルは前置きをすると、神妙な顔で話を続ける。

「それっぽいのはホルヘも見たらしい」

「見たって、まさか巨人が死ぬところを⁉」

カスパルの話にアンヘルは色めき立つ。巨人は死亡したのだと確信していても、それを主張しているのはアンヘルだけだ。遠征に参加した兵に話を聞いても巨人の最期を見た者は一人もいなかった。それどころか「極限状態で見た幻ではないか」と言われる始末だ。

しかしホルヘが巨人の死を確認したとなれば、アンヘルの主張にも信憑性《しんぴょうせい》が出てくる。

「じゃあ、なんでホルヘは返事をよこさないんだ？」

「遠征の後始末でそれどころじゃねえだろうよ」

カスパルは肩をすくめる。

「おめえも参加したんだから知ってんだろ。調査兵団が半壊したのは」

八十名ほどが在籍していた調査兵団も今や三十名たらずであり、遠征どころか隊の維持すら危ぶまれる危機的状況である。

「それでも遠征に行くなら今しかないんだ」

自分の主張を通すべく意固地になっているわけではない。今を逃せば二度と遠征の機会《チャンス》がめぐってこないと予感していたからだ。

調査兵団が壊滅的な打撃を受けたことは周知の事実である。復興に水を差したせいか遠征に対して懐疑的な住人も増えている。それは保守派の原動力となり、門の封鎖と調査兵団の解散を加速させるだろう。その決定が下される前に手を打たなければならなかった。

「奴《やつ》も同じ気持ちだろう」

カスパルは腕を組んで不愉快そうに顔をしかめる。

「とにかく、俺たちがあれこれ言ってもどうにもならねえ。返答を待つしかあるめえよ」

「けど……」

「おめえは開発を続けろ。遠征が決まっても肝心の得物がなけりゃあ意味がねえからな」

カスパルの話はもっともで、アンヘルは納得せざるをえなかった。

遠征を実現させねばと焦るあまり、開発がなおざりなのは事実だ。巨人の急所が判明しても、それに対応できる武具がなければ意味がない。開発が急務なのは間違いなかった。

「いいか、おめえの仕事は開発だ。巨人をぶっ殺すことじゃねえ。それは兵団《ホルヘ》の仕事だ」

「……分かってる」

冷静さを欠いて成すべき事を見誤っていては目的の成就は難しい。危うく取り返しのつかない失敗を犯すところだった。

「それはそうと、マリアとは話したのか？」

その名を耳にしたとたん、アンヘルは針で胸をつつかれたかのような痛みを覚えた。

「なんでえ。まだちゃんと話してないのか」

「どの面《つら》さげて会いに行くんだよ……。ソルムのおかげで命拾いしたとでも？」

マリアと最後に会ったのは三日前に行われた兵の告別式だ。もっとも会ったと言うよりは見かけたというのが正しいだろう。マリアは疲れ切った顔をしており、とても声をかけられるような様子ではなかったし、なにより話しかける勇気がアンヘルにはなかった。

「ソルムの最期がどうだったのか。それを話してやんのは、おめえの役目だと思うがな」

「それならホルヘが……」

「馬鹿《ばか》か、おめえは！」

カスパルはぴしゃりと言った。

「とにかく一度きっちりと話してこい。これは業務命令だ」

「なんだよ、それ……」

「そうでもしねえと、マリアも、そしておめえも、気持ちの整理がつかねえだろ？」

カスパルはアンヘルを部屋から叩《たた》き出《だ》した。

×　×　×

アンヘルは『ウォール・マリア』の正門前でそびえ立つ壁を見上げていた。

巨人《マンモン》の侵入を許したにもかかわらず、その存在感は少しも衰えてはいない。こびりついていた血痕《けっこん》や臓物も今はきれいに洗い流されており、事件などなかったかのような威風堂々とした姿をアンヘルに見せつけている。

アンヘルが正門前に足を運んだのは『ウォール・マリア』の様子を確認するためではない。用があるのは壁上の櫓《やぐら》であり、そこに詰めている兵、つまりマリアだった。業務命令とまで言い放ったカスパルの指示に従ったわけだが、渋々というわけではない。ソルムの最期を見届け、遺言を託された者として、マリアと話さなければならないと感じていたのは確かである。ただ内容があまりにも残酷《ざんこく》すぎて、面と向かってマリアに伝える勇気がなかったのだ。カスパルの厳命は渡りに船だった。

(とは言うものの……。やっぱり気まずいよな……)

嫌なことを先延ばしにした結果がこれである。自業自得とはいえ溜《た》め息《いき》が漏れてしまうが、いまさら引き返すわけにはいかなかった。

アンヘルは一つ息をつくと、自分の体に目を移す。身につけていたのはいつもの作務衣《さむえ》ではなく駐屯兵団の兵服だ。勤務時間が終わるまで待ってもよかったが、気持ちが萎《な》えてしまうのは都合が悪い。そのような理由により、兵服を引っ張り出してきたというわけだ。アンヘルの変装は兵団にバレていたので、いまさらではあったが。

「行くとするか……」

アンヘルは指先で頭をかき、覚悟を決めると、櫓《やぐら》へと続く階段を淡々と上り始める。途中、何名かの兵とすれ違ったが、呼び止められることもなかった。気づいていないのか、それとも見て見ぬふりをしているのか、どちらにせよアンヘルにはありがたいことだ。

上方に櫓が見えてきた。交代要員と勘違いしたのか、アンヘルが櫓に近づくと、そこに詰めていた兵の一人がのっそりと出てくる。アンヘルは素知《そし》らぬ顔で片手を上げると、兵と入れ違いで櫓に踏みこんだ。

櫓には双眼鏡で外地を見つめるマリアがいた。顔には疲れの色がうかがえたが、彼女は凛《りん》とした立ち姿で職務に当たっている。一見ソルムの死を乗り越えたようにも見えるが、そうではないだろう。兵服を身につけることで心と体を支え、意識的に感情を制御しているに違いない。

どのように声をかけるべきか思案していたときだ。

「あのときも……。遠征のときも、ここで皆の帰りを待っていたの」

マリアは双眼鏡で壁外を見つめたままつぶやいた。

「『黒星』が上がったとき、すごく嫌な予感がしたのを覚えてる」

「そうか」

アンヘルはマリアの隣に並んで外地へと目を向ける。ざっとあたりを見渡すが巨人は見あたらなかった。だが視認できないだけで、今も巨人はそこかしこで蠢《うごめ》いているだろう。

「ほんの一週間前、あそこにいたんだよな……」

アンヘルが壁外に挑むことができたのは、真の恐怖を知らずにいたからだ。

巨人の力はめちゃくちゃで、世界もまた法外な広さだ。知れば知るほど自分がいかにちっぽけな存在かが分かるため、よほど肝が据わっていなければ壁外に行くのは難しい。

(でも今一度、壁外《あそこ》に行く必要がある)

新たな武具を開発し、それを用いて巨人は死なないという定説を覆すこと。

それが今のアンヘルの使命である。

無謀だとは自覚していたし、可能なら壁外になど行きたくはない。

それでも遠征を実現させなければならなかった。親友のため、そしてこれから誕生する新しい命のためにも、巨人の死を証明することが必要だったのである。

(こうしていても始まらない、か……)

壁上に来たのは己の使命を自覚するためではない。

アンヘルはマリアの様子を横目でうかがうと、覚悟を決めて話の口火を切った。

「すまない、マリア。俺《おれ》がもっと――」

「ソルムは立派だった?」

マリアはアンヘルの話に自分の言葉を被《かぶ》せると、外地から目を外して向き直った。

「あいつがいなければ、俺は今ごろここにいなかったかもしれない」

「きっと堂々とした最期だったのね」

「でも大馬鹿《おおばか》野郎だ。皆を逃がすために犠牲になって……」

そのおかげで命拾いをしたアンヘルだが、助けた本人が死んでは意味がなかった。

「いつかこんな日が来るんじゃないかって、ずっと思ってた」

調査兵団に籍を置く以上、兵には常に死がついて回る。

いつか死んでしまうかもしれない。

兵の家族や友人であれば、誰《だれ》しもが同じことを考えるだろう。しかしそれと同じくらい
「彼だけは大丈夫」と根拠もなく思いこむのである。そうやって無理にでも納得しなければ、とても平静ではいられないからだ。

「これからどうする？」

「まだ考えてないけど……」

「兵団に残るのか？」

　マリアが駐屯兵団にいる主な理由は、ソルムが帰ってくる場所を守るためだ。彼を失った以上、留《とど》まる理由はなかった。

「あなたはどうするの？」

「俺は巨人を倒すための武具を作る」

「ソルムもいないのに？」

「もうあいつだけの問題じゃない」

「つまり、そういうことだと思う」

「なんの話だ？」

「キッカケを作ったのはソルムだけど、この仕事を誇りに思っているから」

「だから簡単には辞められない、か」

　それは仕事に対するマリアの姿勢を見れば明らかだ。

「愚問だったな」

「そうかもね」

　マリアは軽く笑みを浮かべる。

「でもまあ長く務められないと思う」

「どうして？」

アンヘルは訊《たず》ねるが、すぐにその理由を思い出した。

「丈夫な子が生まれるといいな」

「ソルムみたいな？」

「男の子とは限らないか」

「元気なら、それでいいわ」

「元気すぎて調査兵団に興味を抱くかもしれない」

「そのときはそのとき。反対はしないと思う」

「意外だな」

「だって巨人は倒せるようになるんでしょう？」

マリアは真顔でアンヘルの顔を覗《のぞ》きこむ。

「だったら遠征も怖くない。怯《おび》えながら帰りを待つこともなくなる」

巨人用の武具が完成し、遠征が実現したとき、巨人は殺せないという常識は過去のものになる。そしてそれは近日中に実現するだろう。

（自慢の親父《おやじ》になるだろうな）

ソルムが我が子を抱くことはなかったが、彼は父親としての責務を果たして逝った。

「まったく。たいした男だ」

アンヘルは嘆息すると、外地へと目を移す。

「俺《おれ》も精一杯、生きないとな」

それがソルムに対する唯一の恩返しであるとアンヘルは信じて疑わなかった。

×　×　×

「材料がありませんっ！」

ゼノフォンは開発室に飛びこんでくるなり意味不明な発言をした。

彼が動揺しているのは荒馬のように乱れた鼻息と病的に青い顔色から判断できたが、話の内容とはみごとに符合しない。材料がないからと討ち入りよろしく部屋に押しかけてくるなど迷惑千万である。作業に集中していたのでなおさらだ。

「材料が足りないなら発注すりゃいいだろ！」

アンヘルは憤慨するとゼノフォンから視線を外し、自分の手元に注目した。

作業台に置かれているのは分解《バラ》した《装置》の部品《パーツ》である。それは操作装置《コントローラー》と燃料用のガスボンベ、そしてその二つをつなぐ本体の三つに大別され、大小さまざまな問題を抱えていた。大きなところではワイヤーとボンベの強度だ。《装置》を実用レベルにまで引き上げるには、この二つの課題を克服しなければならない。つまりゼノフォンの相手をしている暇などこれっぽっちもないのである。

「流通自体が止まっているようです。発注もできません」

「なんだって？」

アンヘルは眉根《まゆね》を寄せた。

「工場都市が襲撃でもされたか？」

「いえ。どうやら上が判断したようですね」

「工房長《オヤジ》が？」

「まさか」

「じゃあ……」

「王政府です」

ゼノフォンの答えに、アンヘルは目を剝《む》いた。

「なんで御上《おかみ》が出しゃばってくるんだよ」

「軍縮が現実味を帯びてきた、と言うことではないでしょうか」

「保守派が強権でも発動したか？」

「ありえますね」

保守派の目的は壁の内側に閉じこもることである。それがいまだに実現していないのは革新派と力が競《せ》っているためだが、先日の巨人騒動で彼らは勢いを増していた。

「流通が止まれば製造も開発もできなくなる」

「兵団への供給も止まりますね」

それによって真っ先に影響を受けるのは調査兵団である。

「遠征どころじゃなくなるかもしれません」

「最悪、解散か」

調査兵団が解散すれば、壁外へ行く理由がなくなる。壁外に行かないのであれば門をふさいでも支障はない。保守派の工程表《ロードマップ》としては、そのようなところだろう。

「工房長《オヤジ》はどうしてる？」

「会合に出かけました。今回の件で他《ほか》の街の工房長と話し合うようです」

「そうか」

アンヘルは頷《うなず》くと、状況を打破するための方法論を探り始める。だがろくろく考えもしないまま思考を中断すると、目の前に置かれた《装置》と向き合った。

（俺《おれ》の仕事は《装置》を完成させること）

それがひいては状況の改善へとつながっていくはずだ。

「とにかく俺《おれ》は《装置》の開発を続ける。やれることはそれしかないからな」

「それは私とて同じですが、材料の供給が止まっているわけですよ」

だからゼノフォンは血相を変えて飛びこんできたというわけだ。

「まんまと策略にハマってるよな……」

アンヘルは苦笑いするが、ここで屈するわけにはいかなかった。

「俺《おれ》たちは開発と製造の専門家《プロ》だ。材料がないからできませんでした、なんて言えない」

「何か方法でも？」

「素材は工房内に転がってるだろ？」

室内を見渡せば日の目を見なかった試作品《ガラクタ》が山ほど積まれていた。もちろんそのままでは役に立たないが、分解し、加工することで、材料へと生まれ変わらせることができる。ゴミと大差ない駄物《だもの》なら工房内を漁《あさ》ればいくらでも出てくるし、必要なら出荷待ちの武具を素材に変えればすむ。開発だけなら当面は問題ないだろう。

「それじゃあ、さっさと始めるか」

アンヘルは床に置かれた用途不明の試作品に手を伸ばした。

×　×　×

《装置》の開発を再開したのは、それが巨人を倒すのに有効だと気がついたからである。もともとは巨人との身長差を克服するために開発した機械《もの》だが、方向性は正しかったようだ。

「もっと早くから巨人の調査を行っていれば」と考えたこともあるが、すべての条件が出そろわなければ巨人は倒せない。それが満たされているのが今現在であり、その条件とは「急所の発見」と「強力な武具」の開発である。しかし武具を開発するには今までにない新しい素材、すなわち黒金竹《くろがねだけ》と氷爆石《ひょうばくせき》の発見が不可欠だった。だがその素材も工場都市がなければ手に余る代物だっただろう。すべての歯車が奇跡的に嚙《か》み合《あ》うことで、ようやく反撃の狼煙《のろし》を上げる準備が整ったというわけだ。

巨人の急所は喉元《のどもと》である。それはソルムが自爆した位置から推察できた。確認したわけではないが、人間であれば心臓に該当するような臓器が喉に収《そこ》まっているのだろう。

だが相手は頭をかち割られても平然と蘇《よみがえ》る出鱈目《でたらめ》な化け物だ。油断は命取りである。

「短刀で巨人の喉《のど》をかっさばくとして……。問題は《装置》ですね」

ゼノフォンは《装置》を見つめると、熱病にでも冒されたかのような唸《うな》り声《ごえ》を上げる。

工房内のガラクタをかき集めて材料を確保したまではよかったが、《装置》が抱える強度の問題は解決の糸口すら見つからなかった。おかげで開発室には亀裂《きれつ》が生じた容器《ボンベ》がうずたかく積み上がっており、その光景は返品された在庫の山さながらである。それでも粘り強く試作を繰り返し、そこそこの強度を持つボンベを作り出すことに成功していた。

(でも、そこそこなんだよな……)

命を預けられるほどの完成度でなければ作った意味がない。

「やっぱ黒金竹を使うしかないよな」

「強度を確保するには、それしかないでしょう」

アンヘルとゼノフォンの意見は黒金竹の使用で一致していたが、王政府に流通を押さえられているため、それを確保するのはきわめて困難だ。短刀と捕縛ネットを作った際に出た切れ端は残っていたが、試行錯誤するには量が少なすぎた。

「いっそ盗伐《とうばつ》でもしますか？　場所は分かっていますし」

「それは最後の手段だな。捕まったら国賊として首を刎《は》ねられる」

アンヘルは手刀で首を切るしぐさをしてみせた。

「私としては人類を救った救世主として名を残したいところですね。汚名は御免です」

「名はさておき、結果は残す必要がある」

アンヘルは一節分の黒金竹《くろがねだけ》を手にすると、それを手でもてあそぶ。在庫は節ごとに切り分けられたものが数本だけなので、それを使ってどうこうできる量ではない。

「ワイヤーはどうにかなったんだけどな……」

ボンベ同様、ワイヤーも強度の問題を抱えていたが、捕縛ネットの網を使うことで解決できた。網は巨人を拘束するには至らなかったが、人間を支えるには十分な強度だ。しかしボンベには代用品がないので作るしかない。

「もう少し黒金竹《これ》の在庫に余裕があればよかったんですがねえ」

「短刀を素材に戻すとか……」

「残念ですが、工房《うち》にあるのは私が試作した一振りだけです」

「調査兵団から回収、ってわけにもいかないか」

「戦うのは彼らですからね。武器がなければ巨人を討てません」

「そうだよな……」

武器と《装置》はセットでなければ意味がなかった。

「黒金竹の含有量を減らしてみるのはどうでしょう？　多少、強度は落ちるでしょうが、既存の物よりはましかと」

「それも一つの手かもしれない」

「……同意しかねる、とでも言いたげな顔をしていますよ」

「ああ」

アンヘルは素直に認めた。ゼノフォンの提案は困難な状況を乗り切るためのベターな提案である。それを選択しても誰《だれ》も文句は言わないだろう。

（でもベストではない）

職人である以上、それを目指すのは当然である。

「さて、どうしたもんか」

アンヘルは手にした黒金竹を凝視しながらアイデアが降りてくるのをじっと待った。しかし天啓のごとく着想を授かるなどありえない。すべての答えは自分の中にあるからだ。

アンヘルは恨めしそうな顔で黒金竹を睨《にら》みつけた。

くすんだ銀色《しろがねいろ》の竹は自然がもたらした最高の素材であり、それを料理するのは職人としてこの上ない喜びだ。黒金竹《くろがねだけ》を加工できれば最高のボンベに仕上げる自信もある。

（危険《リスク》を承知で盗伐するか、手元にある材料で妥協するか）

アンヘルとしてはどちらも選択したくはなかったが、このままでは開発は遅れる一方だ。素材にこだわりすぎて《装置》がお蔵入りするなどあってはならなかった。

「加工、か……」

アンヘルはつぶやきつつ稈を指先で弾《はじ》く。

甲高い音に耳を傾けたとき、アンヘルは心に何かが引っかかるのを覚えた。

「トロスト区の工房に行ってみましょうか。黒金竹が残っているかもしれません」

「黒金竹……」

「黒金竹《あれ》は各街の工房に配られています。探せば手に入るのでは」

「竹か……」

「どうかしましたか？」

「いや、いい音がするなと思ってさ」

「何を悠長なことを」

ゼノフォンはやれやれとばかりに肩をすくめる。

「ご存じのとおり竹は空洞ですからね。音も響きやすいのではないかと」

「空洞……」

ゼノフォンの言葉を反芻《はんすう》した瞬間、アンヘルは「ああ、そうか」と納得した。竹が空洞であるという事実を、ではない。自分が何に引っかかっていたのか気がついたのだ。

「俺《おれ》たちは間違っていた」

「はい？」

「職人の本能が邪魔をしたんだな、きっと」

「何を言っているのですか？」

「黒金竹という素材を目の前にして、俺《おれ》たちは加工しようと考えた」

「当たり前じゃないですか」

「職人だからな」

アンヘルは頷《うなず》きを返す。

「だけど加工の必要がないとしたら？」

「どういうことですか？」

「俺たちはすでにボンベを持っていたってことさ」

そう言ってアンヘルはニヤリと笑うと、ゼノフォンに黒金竹を差し出した。

「これがボンベだ」

「……ああ、なるほどっ！　考えましたね!!」

ゼノフォンはアンヘルの意図を速やかに理解した。

「竹の特徴を利用するわけですか」

「竹は空洞だ。そこにガスを入れればガスボンベのできあがりってわけだ」

「黒金竹《くろがねだけ》なので強度も申し分ありません」

「そういうことだ」

アンヘルは自信満々に応じた。

手応《てごた》えは十分である。最大の難問であった強度問題は解決《クリア》できたので、あとは張り切って《装置》の製造に取りかかるだけだ。完成までさほど時間もかからないだろう。

「よし。さっそく作業を始めるか」

× × ×

《装置》の開発は驚くほど順調に進み、ほんの数日で完成へと漕《こ》ぎ着《つ》けた。

徹夜をしたわけでもなければ奇跡を起こしたわけでもなく、作業と言えばワイヤーとボンベを取り替えた程度である。どちらも当初こそ完成には多くの時間がかかると思われていたが、解決策さえ判明すればなんのことはない。ワイヤーは捕縛ネットの網を解《ほど》いて紡ぎ直しただけであり、ボンベにいたってはそのまま流用できた。とんだ笑《わら》い種《ぐさ》である。

ボンベの小型化に伴って《装置》も若干のマイナーチェンジが行われていた。小型化と軽量化に成功したボンベは背中ではなく腰の左右に提げる形へと変わり、操作装置も一機から二機に増えている。どちらかが破損しても行動に支障が出ないようにするためだが、左右の操作装置を連係させれば『ウォール・マリア』を登り切ることもできるだろう。氷《ひょう》爆石《ばくせき》が入手できなかったためボンベには天然ガスを満たしていたが、《装置》は問題なく機能した。ただ燃費が悪く、長時間の使用には耐えられないため、《装置》を正しく使うには氷爆石の使用が不可欠である。だがそれも巨人が倒せることを証明すればすむ話だ。

しかし待てど暮らせどホルへからの返答はない。『ウォール・マリア』の閉門の噂《うわさ》は日増しに高まっており、それを裏付けるように王政府は各工房の統廃合に着手していた。アンヘルが所属している工房も例外ではなく、それにともない一時的に業務は停止している。アンヘルとゼノフォンは無視して作業を続行していたが、状況が刻々と悪化しているのは肌で感じられた。

だが危機感を覚えているのはアンヘルとその周辺だけで、住人は気にもならないようだ。彼らは壁外について何も知らず、そことは無縁の生活を送っているので、閉門しようが特に支障はない。シガンシナ区の住人に限って言えば閉門はむしろ歓迎されていた。アンヘルは人類の未来にかかわる大きな分岐点であると認識していたが、そのように考えているのは少数派だ。大多数の住人は未来を思い描けるような余裕のある生活を送ってはおらず、大切なのは今をどう生きるかだった。

ホルへの返事を気長に待っていたアンヘルだが、風向きは悪くなる一方だ。世論も門の閉鎖を支持しており、それが実現するのも時間の問題だと目されていた。どこまで本気かは不明だが、保守派が革新派の息の根を止めるには門の封鎖が一番だ。積極的に狙《ねら》ってくるだろう。それを止めさせるには遠征で巨人を仕留めるしかなかった。

いてもたってもいられなくなったアンヘルは《装置》を手にすると、ゼノフォンと連れ立って調査兵団の兵舎を訪ねていた。もちろんホルヘに遠征を直訴するためだ。

駄目でもともと。《装置》が日の目を見ないままお蔵入りなど笑えない冗談である。追い返されるのを覚悟していたアンヘルだが、拍子抜けするほど簡単に面会は許可された。

× × ×

「いよいよ雲行きが怪しくなってきたな」

兵舎内に漂っている空気は重苦しく、兵はそろいもそろって身内に不幸でもあったかのような暗い顔をしていた。彼らが職人と似た状況にあるのは推して知るべしだ。

アンヘルとゼノフォンは兵の案内で隊長の執務室へと足を運んでいた。

調査兵団が事務仕事を行う姿は想像しにくいが、隊長ともなると前線で戦うだけではすまないのだろう。十平米ほどの小さな執務室は幅広のデスクが占拠しており、そこには書類の束が積み上げられている。

部屋の主であるホルヘは刀の代わりにペンを握り、書類をもくもくと処理していた。事務仕事に辟易《へきえき》しているのか、それとも調査兵団の未来を憂えているのか、あるいはその両方か、ホルヘは疲れているように見えた。

「忙しそうだな」

　アンヘルが感想を述べると、

「事務仕事は性に合わなくてね。体を動かしていたほうがよほど楽かもしれない」

　ホルヘは渋い顔で応じた。

「用件というのは遠征の件だろう？」

「ずいぶんと話が早いですね。せっつきすぎたのでは？」

　ゼノフォンの問いにアンヘルは「まさか」と答え、さらに話を続ける。

「俺《おれ》が要望を出したのは例の遠征後に一度きりだ。つまり今が二度目ってことだな」

　アンヘルは、ずいと前に出た。

「結論を聞かせてくれ」

「うすうす察してはいると思うが、君の希望には応じられない。それが結論だ」

　ホルヘは抑揚のない淡々とした言葉でそう告げた。

　彼が指摘したとおり、却下は覚悟していたことである。だが一縷《いちる》の望みを託していたアンヘルには厳しい現実だ。

「遠征に行く気があれば、とっくに連絡がきてるはずだからな……」

「行く気ならある」

「なんだと⁉」

アンヘルは声を裏返した。

「何やらめんどうくさそうな事情がおありのようですね」

「王政府《うえ》からのお達しってところか」

「一言で説明するなら」

ホルヘは厳しい表情で答えると、ぐっと拳《こぶし》を握りしめた。それが何を意味するかは考えるまでもない。調査兵団が遠征に行けないのだから、誰《だれ》よりも悔しい思いをしているのは他《ほか》ならぬホルヘだろう。

「遠征は無期限の凍結、調査兵団の処遇は追って通達する。それが今の状況だ」

「行きたくても行けない、と言ったところですか」

ゼノフォンは納得の表情だが、アンヘルはそうではない。このままではじきに調査兵団は解散させられるだろう。そうなってからでは手遅れだ。

アンヘルはホルヘに詰め寄っていく。

「調査兵団の隊長ともあろう者が、このままスゴスゴと引き下がるのか？」

「こ、こら。それは少し失礼な物言いでは」

ゼノフォンはあからさまに狼狽《ろうばい》していたが、使命感という鎧《よろい》に守られているせいか、アンヘルはホルヘが放つ圧力《プレッシャー》に怯《ひる》みもしなかった。壁外で死線を越えてきたことも神経を太くするのに一役買っているのだろう。巨人以上の理不尽などこの世に存在しないのだから、アンヘルに臆《おく》するものなど何もない。

「状況を変えるには結果を出すしかないだろ。今ならそれが可能だ」

アンヘルは《装置》をデスクに置いた。

「巨人を倒すための機械だ」

「これで巨人を？」

ホルヘは幽霊でも見たかのような不可解な表情で《装置》を見つめた。

《装置》の使い方を知らないホルヘの目には、謎《なぞ》の機械に映るのだろう。

「巨人が倒せるってことをソルムが証明してくれた。あんただって見たんだろう？」

「あれを巨人の死とするならば、だ」

「死体が現場に残っていれば、また別だったのでしょうね」

ゼノフォンの言うとおり、巨人の死体が残っていれば今とは大きく状況が異なっていた
だろう。だが脅威の排除という意味では結果は同じだ。

「調査兵団の解散を阻止するには、巨人が殺せるってことを皆に見せつければいい」

「私に上からの命令を無視しろと？」

隊長自ら規律を乱せば部下への示しがつかなくなる。士気も低下するだろう。保守派の
役人もここぞとばかりに調査兵団の解散に乗り出してくるはずだ。

「君の提案は調査兵団の息の根を止めかねない」

「だろうな……」

「それでもなお提案を受《う》け容《い》れろと?」

ホルヘは威嚇するように睨《にら》んでくるが、その程度の圧力では気持ちは揺らがない。

(怖いのはホルヘじゃない)

巨人に怯《おび》え、信念を曲げてしまいそうになる己の心である。

「運命を変えたいのであれば」

アンヘルはホルヘへの視線を押し返した。

「いくらなんでも無茶《むちゃ》を言いすぎでは」

ゼノフォンがおずおずと口を挟む。

アンヘルとて無茶は百も承知の提案だ。しかし引き下がるわけにはいかなかった。

「君は調査兵団の未来をかける価値があると本気で思っているのか?」

「その考え方は正しいとは言えない」

「どういう意味だ?」

「俺《おれ》たちがソルムに託されたのは、調査兵団の未来じゃない。もっとでっかいものだろ?」

「確かに、守るべきは調査兵団という組織ではない」

「じゃあ遠征に?」

嬉々《きき》とした表情を浮かべるアンヘルに対し、ホルへは首を横に振ってみせた。

「命をかけるのは兵であって君ではない。責任を負うのも彼らだ。むろん私もだが」

「提案だけなら誰《だれ》でもできると？」

「事実を述べたまでだ」

だがアンヘルとて調査兵団に下駄《げた》を預けるつもりはない。

「……俺も同行する」

「君も？　冗談だろう⁉」

実際そのように思っているのか、ホルへは失笑を禁じえないようだ。

「あれだけ悲惨な目に遭って、それでもまたあの死地に立つことができるとでも？」

「そんなの行ってみなければ――」

「分かる。兵の心が折れる様を見続けてきたからな」

ホルへは機先を制した。

「心身ともに鍛え上げられた者でも、巨人を目の当たりにすれば少なからず狼狽《うろた》える。知ってのとおりの化け物だ。無力感に苛《さいな》まれ、絶望する者も多い」

「……俺もその一人になると？」

「土壇場で足がすくむのが関の山だろう。その結果、被害は拡大する」

ホルへの指摘にアンヘルは言葉を詰まらせる。ソルムの死を暗に臭《にお》わせていたからだ。

「このへんにしておきましょう」

会話に割りこんできたのはゼノフォンである。

「これ以上は貴男《あなた》の傷口が無駄に広がるだけです」

ゼノフォンの気遣いはありがたかったが、心に生じた亀裂《きれつ》から血が流れようとも、ここで諦《あきら》めるわけにはいかなかった。

「あんたらが行かないのであれば、俺《おれ》は一人でも行く」

「無理に決まっているじゃないですか！」

「俺は本気だ」

「君の覚悟のほどはよく分かったが、部外者を壁外に出すわけにはいかない」

アンヘルの発言に対し、ホルヘは熟考したあとに口を開いた。

「だがそれでは君も収まりがつかないだろう。だから機会をやる」

「機会？」

「私と戦って勝つことができたら、君の好きにするといい」

「負けたら？」

「諦《あきら》めてもらおうか」

「なるほど。分かりやすくて助かる」

アンヘルはホルヘに頷《うなず》いてみせた。

「あっさりと承諾しすぎです！」

動揺したのはゼノフォンだ。

「相手は本職《プロ》ですよ。分が悪すぎます。万が一もありません！」

「圧倒的に不利なだけだ。希望はある」

「前向きにもほどがあるのではと……」

「俺《おれ》には《装置《これ》》がある」

《装置》が人間に対して有効かは未知数である。だがホルヘは《装置》の性能を知らないのだから、驚かせる程度の効果は期待できるだろう。調査兵団を束ねる百戦錬磨の強者でも、多少の隙《すき》が生じるはずだ。勝機があるとすればそこだった。

「お言葉ですが……」

ゼノフォンがそっと耳打ちをする。

「彼は《装置《それ》》を使っていいとは言ってませんよ」

「あっ……」

アンヘルは悲鳴にも似た小さな叫び声を放つと、恐る恐るホルヘに目を移す。

「場を移そうか」

ホルヘは椅子《いす》から腰を上げると、そう言ってアンヘルを促した。

すでに戦う準備は整っているらしく、その顔は野獣も尻込《しりご》みするほどの険しさだ。事務仕事という名の檻《おり》から解放されたことで野性を取り戻したのかもしれない。

「骨くらいは拾いましょう」

ゼノフォンは救いにならない言葉を口にした。

×　×　×

隊長が小生意気な一般人を粛正するといった触れこみでもあったのだろうか。兵舎前には集めてもいないのに数十名ほどの人だかりができていた。観客の九割は調査兵団の兵であり、残りは兵団に出入りしている業者だ。そろいもそろって期待に満ちた眼差《まなざ》しでホルへを見つめており、アンヘルに注目している者など一人もいない。

「とんでもないことになったたな」

アンヘルは敵の本拠地に取り残された敗残兵のような心境を味わっていた。実際、観客はその程度にしか見ていないはずだ。場に漂う空気がそれを物語っている。

「この状況を招いたのは貴男《あなた》自身です。それをお忘れなく」

「つれないな。俺《おれ》が負けたら敵《かたき》を取ってくれるんだろう？」

「ご冗談を。私はまだ死にたくはありませんからね」

ゼノフォンはすげなく却下した。

「君に少しばかりハンデを与える」

ホルヘは余裕の表情で提案を申し出た。

「君は《装置》とやらを使うといい。私も性能を確認したい」

さらにホルへは続ける。

「私は素手《すで》で相手をしよう。一撃でも私に入れられたら君の勝ちだ」

「余裕綽々《しゃくしゃく》だな」

「少しばかり武術に心得があるものでね」

「勢い余って腰に提げた短刀《それ》を抜かないでくれよ」

ホルへは「どこからでもかかってこい」と言わんばかりに悠然と身構えている。不用意に彼の懐に飛びこめば、手酷《てひど》い返り討ちに遭うのは確実だった。

「これは棚ぼたです。千載一遇の好機です。万が一もあるかもしれません」

つまり、いまだに勝利する可能性は皆無に等しいということだ。

「とんだお披露目《ひろめ》式になったな……」

アンヘルは身につけた《装置》の感触を確かめると、大きく息を吐き出した。

(初めての実戦が人間相手とは)

しかもよりによって調査兵団の隊長である。相手にとって不足はないが、手に余る難敵だ。

(勝てる見込みはほとんどない)

万が一というのは、そういうことである。だがホルへに勝つ必要はなかった。

（何かの間違いで一発でも入れば……）

その程度の奇跡であれば、なんとか自力で起こせるかもしれない。

「準備はできたか？」

ホルへは全身から闘志を漲《みなぎ》らせると、すぐさま戦闘体勢《ファイティングポーズ》を取る。そこからは戦闘のエキスパートらしい余裕がうかがえた。素人《アンヘル》が相手なのだから気負わないのも当然だろう。

（分が悪いな。いまさらだけど）

このまま主導権《イニシアチブ》まで握られてしまうのは都合が悪い。アンヘルはしゃがんで靴紐《くつひも》を結び直した。ホルへの気勢を削《そ》ぐためだが、ついでに地面の土をひとつかみする。

「それじゃあ、おっ始《ぱじ》めるとするか！」

アンヘルは叫ぶや否や、手にした土をホルへの顔面へと投げつけた。目潰《めつぶ》しである。

（卑怯《ひきょう》かもしれない）

だが手段など選んではいられなかった。今は何よりも勝つことが重要だ。

アンヘルは地面を蹴《け》り飛《と》ばしてホルへとの距離を一気に詰めると、大きく右腕を振り上げた。素人丸出しの派手な攻撃《アクション》だったが、敵の視覚を奪っているので反撃の心配はない。

ぐんと力をこめたアンヘルの拳《こぶし》がホルへの顔面に伸びていく。戦闘経験がないので威力は不明だ。しかし当たりさえすればホルへの涼しい顔も歪《ゆが》むに違いない。

だがホルへは何事もなかったかのようにアンヘルの拳を受け止めると、右手首の関節を捻《ひね》り上げる。小手《こて》を返されたアンヘルは自然と地面に転がされ、利き腕を背部に取られて拘束術《ハンマーロック》をきめられた。それは一瞬の出来事で、腕と肩の関節が同時に悲鳴を上げる。

「いい攻撃だったたな。戦場では何が起きるか分からない。一瞬の油断が命取りになる」

ホルヘはアンヘルにきめていた関節技を外した。動揺を誘って一撃をかますつもりでいたのだが、完全に不発である。

アンヘルは起き上がると、痛む利き腕を何度か回して機能を確かめていく。手首、肘《ひじ》、肩の関節に鈍痛が残っていたが、行動に支障をきたすほどではない。だが少しでもホルヘが力を加えていたら、骨が折れるか関節が破壊されていただろう。

「ああっ。唯一の勝機が……」

ゼノフォンは頭を抱えこむ。

「唯一って言うなよ」

だが事実である。

(奇襲が駄目なら正攻法しかないが……)

それには《装置》の使いどころが重要になってくる。その仕組みを知らないホルヘにとって、縦軸への移動は想像できないはずだ。さすがの彼も多少の隙《すき》を見せるだろう。

(結局、奇襲頼みになるわけか)

周囲に目をやると、兵舎や木など、アンカーの的はいくつか見つかった。

（問題は当たるかどうかだ）

何度か試射を行っていたが、狙《ねら》った位置に正しくアンカーを打ちこむには十分な訓練が必要不可欠だ。壁のような巨大な的であれば目をつむっても当てられるが、木の幹のような小さな標的に当てるには技術を要する。戦闘中ともなればなおさらだ。

狙撃《そげき》のような慎重さで操作装置を構え、的に狙いを定めてレバーを入れる——。

正確さを求めるには必要な作業だが、無防備な姿をさらすことになる。巨人であれば気にもしないだろうが、ホルへがそれを見過ごすなどありえない。

「仕掛けてこないのであれば、こちらから行かせてもらおう」

ホルへの言葉でアンヘルの思考はふっつりと途切れる。

我に返ったとき、すでにホルへはアンヘルの目の前にいた。奇襲作戦を練っている間に不意打ちを食らうなど間抜けにも程があるが、それでもどうにか両手で顔面を防御《ガード》できたのだから素人にしては上出来だろう。

「上を固めると下が留守になる」

ホルへの拳《こぶし》がガラ空《あ》きになっているアンヘルの鳩尾《みぞおち》にめりこんだ。

「ぐっ……」

体がくの字に折れ曲がり、瞬間的に呼吸が止まる。ついで意識が遠のくほどの痛烈な痛みが襲いかかってきた。とても立ってはいられず、アンヘルは腹を押さえながら両膝《りようひざ》から崩れ落ちていく。目に涙が浮かび、胃から迫《せ》り上《あ》がってきた内容物が口から勢いよく吐き出された。アンヘルは赤子のように体を丸めると、嘔吐物《おうとぶつ》の上でうずくまる。なまじ意識があるせいか腹部の痛みは堪えがたく、いっそ気絶したほうが楽だったに違いない。おそらくホルへはそれすらも調整するような絶妙な力加減で殴ったのだろう。

（荒事は専門外だってのに……）

アンヘルは悪態をつくが、それが言葉として口から紡ぎ出されることはなかった。

「君の覚悟はその程度か」

落胆するホルへの声が頭上から降ってくる。

「私の見込み違いだったかな？」

追い討ちをかけるつもりなのか、ホルへの手が伸びてくる。

（クソッ……。こんなところで終《しま》いにしてたまるか）

アンヘルはうずくまったままの体勢でガンホルダーをまさぐると、操作装置のレバーを入れる。《装置》が唸《うな》り、圧搾したガスが勢いよくノズルから吐き出された。

「うおっ⁉」

ホルへは素《す》っ頓狂《とんきょう》な声を上げると、後方へと飛び跳ねてアンヘルと距離を置く。アンカーを打たずに少量のガスを抜いただけだが、ホルへを警戒させる程度の効果はあったようだ。最後っ屁《べ》のようで格好よくはなかったが、背に腹は代えられない。とにかく体勢を立て直さなければならなかった。

しかし、そうそう簡単にダメージは抜けない。ホルへも回復を待ってくれるほど優しくはないだろう。これは実戦だ。少なくともホルへはそのつもりで臨んでいるはずであり、もはや《装置》の性能を隠して奇襲を狙《ねら》う余裕はなかった。

アンヘルは操作装置の射出口を比較的狙《ねら》いやすい兵舎の二階へと向けると、そこにアンカーを打ちこんで体を一気に引き上げる。さすがのホルへも空は飛べないので、その間に体のダメージを抜こうというわけだ。卑怯《ひきょう》な戦法かもしれないが、《装置》はアンヘルが有する唯一の優位性《アドバンテージ》である。使わない手はない。

「なるほど。面白い機械だ」

ホルへは素直に感心していた。それは観戦していた兵も同じようだ。空を飛ぶとまではいかないにせよ、重力を無視したありえない動きを実現してみせたのだから当然だろう。《装置》の可能性にも気づいたはずである。彼らであればアンヘルが想像もしないような戦術を構築し、それを実戦で活《い》かしてくれるはずだ。まさにアンヘルにとって最高のお披《ひ》露目《ろめ》式であり、期待に胸が膨らむが、巨人に対して使われなければ意味がなかった。

アンヘルは痛む腹を手でさすり、乱れた呼吸を整えていく。

（ソルムに稽古《けいこ》でもつけてもらっとけばよかったな……）

苦笑している間に腹痛もいくらか和らいできた。アンヘルはワイヤーを伸ばして地上に戻ると、壁に刺さったままのアンカーを引き抜いて射出口に戻す。

「《装置》《これ》があれば巨人の急所を狙《ねら》える」

「さて、私に対してはどうかな?」

ホルへが手招きで挑発してくるが、先ほどの一撃でアンヘルの膝《ひざ》は笑っており、まともに動ける状態ではなかった。

(でも移動手段なら俺《おれ》の手の中にある)

アンヘルは操作装置を水平に構えると、射出口をホルへに向ける。

ホルへとの距離は約五メートル。だが標的は彼の背後に見える木の幹だ。

(七、八メートルくらいか。当たってくれよ)

祈りながら軽く狙《ねら》いを定めると、操作装置のレバーを入れてアンカーを射出する。

ホルへは自分を狙ったと勘違いしたのだろう。短刀を逆手で抜くと、迫りくるアンカーを柄頭《つかがしら》で撥《は》ね上げた。アンカーの軌道が変わり、目標から大きく逸《そ》れていく。

「さすが調査兵団の隊長。すばらしい動体視力と反射神経です」

ゼノフォンは手を叩《たた》いて感心していたが、アンヘルはそれどころではなかった。

アンカーを戻して再度狙《ねら》いを定めている余裕はない。アンヘルは操作装置を放《ほう》り投《な》げると、もう一つの操作装置を抜いてレバーを入れる。アンカーはホルへの脇《わき》をすり抜けて木の幹にめりこむ。アンヘルの体が宙を舞った。

（小細工はやめだ！　真正面からぶちかましてやるっ！）

レバーを操作したとたん、アンヘルは弾丸よろしく頭からホルへへとつっこんでいく。

ホルへは即座に迎撃の体勢《ファイティングポーズ》を取り、右肘《みぎひじ》を軽く引いた。最短距離で豪腕が飛んでくる。

一瞬、ホルへと目が合った。

（笑った？）

それを確かめる間もなく、金槌《かなづち》で顔面を殴打されたかのような激しい衝撃が走り抜けた。意識が急速に遠ざかり、視界が暗くなっていく。

（やったか？）

だがそれを確認する間もなく、アンヘルの意識は霧散した。

×　×　×

泥のように眠っていたアンヘルの体に激痛が突き抜けていく。あまりの激しさに飛び跳ねそうになるが、なぜか体は言うことを聞かず、悲鳴を上げることすらままならなかった。体は熱病にでも冒されたかのようにかっかしており、頭から爪先《つまさき》までまんべんなく痛む。中でも顔の痛みは際立っており、瞼《まぶた》を開けても薄目にしかならないほど腫《は》れていた。怪我《けが》をしているのは確実だが、なぜそのような状況におちいったかは理解できない。

「ここは……」

アンヘルは指先で瞼《まぶた》を持ち上げると、かろうじて確保できる視界から情報を得ていく。

煤《すす》にまみれた汚い天井は、繰り返された実験と小火《ぼや》の跡だ。つまりアンヘルの根城であることを示しており、目の動きだけで周囲を確認すると、物で溢《あふ》れた室内が見て取れた。アンヘルは開発室のベッドで横になっていたのである。

「開発室か」

「何があったんだっけ？」

窓明かりから今が昼時だと判断できる。それなりに眠っていたのか、起床と同時に腹の虫も目を覚ました。怪我《けが》を除けば体の機能に異常はなさそうだ。

アンヘルは気合を入れ、覚悟を決めると、腕の力を利用して上半身を引き起こした。体は酷《ひど》く痛むが、それに目をつむればどうにか動けそうだ。

苦痛で歪《ゆが》んだアンヘルの顔から温《ぬく》まった濡《ぬ》れ布巾《ぶきん》が転げ落ちてくる。痛む頬《ほお》に布巾《ふきん》を添えつつ体に目を向けると、作務衣《さむえ》には赤黒く変色した血液がべったりと付着していた。

（で、俺《おれ》の身に何が起きたかだ）

あらためて考え始めたとき、開発室の扉がゆっくりと開かれた。

「やっとお目覚め？」

呆《あき》れ顔《がお》で室内にやってきたのはマリアである。

「どれくらい眠ってた？」

「丸一日くらい」

マリアはアンヘルのもとに歩み寄ると、深い溜《た》め息《いき》をついた。

「馬鹿《ばか》だとは思っていたけど、大馬鹿《おおばか》者だとは思わなかった」

「なんだよ、それ」

「隊長と模擬戦を行ったんでしょう？」

「あ、そうか。俺はホルへと戦って――」

あれからどうなったかは思い出せないが、ベッドで伸びていたのだから結果は考えるまでもない。顔面の腫《は》れと痛みがそれを裏付けていた。

「惨敗か……」

悔しいが、負けを認めるしかなさそうだ。

（さすがに力の差がありすぎた）

調査兵団の隊長に挑んだ勇気は自分でも認めるところだが、勝てなければ意味がない。

（一発くらい当たってくれりゃよかったのに）

それすらかなわなかったということは、ホルへの能力が常人離れしていた証拠だろう。

「惜しいな。調査兵団《あいつら》なら《装置》を使いこなせたかもしれないのに」

「でも勝ったんでしょう？　頑張ったかいがあったじゃない」

「勝った？　俺が⁉」

「隊長の反則負けだったってゼノフォンが話していたけど」

「反則……」

アンヘルは記憶を探るが、ホルへの行動の中に不審な点は見当たらない。そもそも彼は反則を行うような男ではないし、どんと構えて胸を貸す姿しか思い出せなかった。

「短刀を抜いてしまったって」

アンヘルは「ああ、そうか」と納得した。

「たったそれだけなのに負けを認めるのか」

「勝ち負けは関係なかったってことでしょう？」

「関係ない？」

「あなたの覚悟を見定めたってこと」

「戦ってそれを確認したわけか。ずいぶんと荒っぽいな」

アンヘルは鼻を鳴らすと、不機嫌そうに口を曲げる。

「まあ、らしくはあるけど」

アンヘルに信念がなければ、腹部にもらった一撃だけで動けなくなっていただろう。

「隊長も遠征に行きたかったんだと思う。でも立場上、言い出せなかった」

「命令に逆らえば処分は免れないしな」

ホルへの肩には部下とその家族に対する責任が重くのしかかっていたはずだ。背負うものが多いと決断を下すのも一苦労と言ったところだろう。その点アンヘルは身軽だった。

「遠征は一週間後だって」

「遠征⁉　じゃあホルへは――」

「覚悟を決めたんでしょうね」

つまりホルへは隊長職を辞する覚悟で遠征に臨むということだ。

「遠征を知っているのは調査兵団と一部の関係者だけ。処分だけですめば御の字かも」

「おまえもその一人ってわけだ」

「当日、私が門を開くことになっているの」

「同僚には？」

アンヘルが問うと、マリアは「言えるわけない」と話して首を横に振ってみせた。

「駐屯兵団には保守的な人も多いから。もし遠征の事実が知られれば密告《リーク》されかねない」

「でもいいのか、本当に」

「ええ。もう決めたことだから」

遠征の成否にかかわらず関係者は処分の対象になるだろう。兵は不名誉除隊となり、何かと肩身の狭い生活を強いられるはずだ。退役後に受けられるはずの保障も剝奪《はくだつ》される。己の信念のためとはいえ、あまりにもリスキーな行為だ。

しかしマリアは覚悟を決めているのか、迷いのない晴れやかな表情を浮かべていた。

「ここまでやったんだもの。きっとうまくいく」

「そうだな」

不安はある。

巨人に対する恐怖も払拭《ふっしょく》できたわけではない。

だが必ずや遠征は成功するという確たる自信があった。

(条件は出そろってる。あとは巨人を討つだけだ)

しかし、その前にやるべきことがあった。

「もう少し手加減してもよかったんじゃないか?」

アンヘルは腫《は》れ上《あ》がった顔を手でさすった。

×　×　×

遠征の参加者は約三十名。ホルヘを筆頭とした調査兵団の面々とアンヘルである。命令違反であるため遠征への参加は任意だったが、全員が行く決意を固めていた。だがそれも当然だろう。死と隣り合わせの調査兵団に望んで入るような物好きだ。巨人の謎《なぞ》の一端が解明される歴史的瞬間に立ち会わないなど考えられない。それだけでも遠征への意欲《モチベーション》は十分だったが、《装置》への期待感もあったようだ。

肝心要《かんじんかなめ》の《装置》は一機しか用意できなかった。本来なら兵全員に配られるべき重要な武具だが、黒金竹《くろがねだけ》が確保できない状況では製造できなかったのである。短刀を配り終えていたのは不幸中の幸いと言ったところだ。

《装置》は皆を代表してアンヘルが装着することになった。調査兵団以外の者が遠征に参加すること自体が稀《まれ》であり、ましてや戦闘に参加するなどありえないことだが、アンヘル以外《装置》を使いこなせる者がいなかったのだ。アンヘルとて操作に慣れているとは言いがたいが、模擬戦で見せた動きができればどうにかなるとホルヘは判断していた。だが、そうはいってもアンヘルは素人だ。十分なお膳立《ぜんだ》てが行われるのは言うまでもない。

（これも運命ってやつか）

《装置》を身につけて巨人と戦うなどよもやの事態である。

（でも、これでよかったんだろうな……）

自らが開発した機械で巨人を倒す機会を得たのだから、大いに喜ぶべきである。それだけではない。《装置》の有用性を示し、さらには巨人が倒せると証明することもできた。

（ソルムとコリーナの敵討ちもできる）

つまりアンヘルの手で決着をつけられるのだ。文句のつけようがなかった。

（問題は俺《おれ》が巨人に対応しきれるかどうかだ）

巨人は図体《ずうたい》が大きい上に力も強く、生命力も高かったが、行動原理はきわめて単純だ。ホルヘを倒すには心技体のすべてを鍛え上げ、さらには多くの実戦で経験を積まなければならないが、巨人であれば駆け引きはいらない。巨大な害獣を駆除するようなものだ。

アンヘルは遠征までの一週間を《装置》の訓練に費やした。《装置》が体の一部になり、呼吸をするかのような自然さで使えるようになるまで跳躍を繰り返していく。何度も何度も。おかげで体中に痣《あざ》をこしらえるはめになったが、第一人者を自負できる程度には《装置》を扱えるようになっていた。もっとも実戦で役立つかどうかは別の問題である。

アンヘルは『ウォール・マリア』の前に立つと、そびえ立つ壁を睨《にら》みつけた。巨人戦を想定した訓練を行うのは難しいが、壁に仮想の敵を思い描くことでイメージトレーニングを行うことは可能である。アンヘルは集中力を高めて壁に巨人の虚像《イメージ》を作り上げていく。

(巨人の急所は喉元《のどもと》だ。そこをかっさばく)

アンヘルは右手に模造刀、左手に操作装置を握りしめると、ゆっくりと息を吐き出す。

(よしっ!)

アンヘルは操作装置の射出口を巨人の像に向けて狙《ねら》いを定める。発射されたアンカーは巨人の喉元に突き刺さった。それを確認するや否やアンヘルは宙を舞うと、一気に巨人の急所へと跳躍し、模造刀を横に薙《な》いだ。流れるような一連の動作を終えたとき、アンヘルが生み出した虚像《イメージ》は消え去り、代わりに見慣れた壁面がそこ《そこ》に現れた。

「あとは実戦だけだな――」

想像上では何十体もの巨人を仕留《しと》めたアンヘルだが、重要なのは実戦での一体である。

「すべては明日だ」

アンヘルは壁に手を触れると、外の世界に思いを馳《は》せた。

×　×　×

状況が急変したのは、開発室でくつろいでいたときだ。

カスパルに呼び出されたアンヘルが工房長室に足を運ぶと、険しい表情を浮かべたホルへが待っていた。ただならぬ事態が起きたのは、苦り切ったホルへの顔から判断できる。

「調査兵団の解散が決まった」

ホルへは開口一番、とんでもないことを口にした。

「解散……」

アンヘルは惚《ほう》けた顔で反芻《はんすう》するが、すぐに状況を理解して青ざめる。

「なんで？　どうして!?」

矢継ぎ早に質問を繰り出すアンヘルに対し、ホルへは「王政府《うえ》の決定だ」と伝えた。

「じゃあ遠征は？　遠征はどうなる？」

「御破算だってよ」

カスパルは渋い顔で結論を述べた。

「遠征は明日なんだぞ！　ここまできて中止なんて……」

「私とて同じ思いだ」

ホルへは拳《こぶし》をぐっと握りしめる。

「だが私には、もはやなんの権限もない」

「よりによって、こんなタイミングで……」

「どこかに王政府の間者《イヌ》が紛れこんでたのかもしれねえな」

ありそうな話だが、犯人捜しに興味はない。重要なのは遠征の行方である。

「解散の次は門の閉鎖だ。そんなことになったら二度と壁外には行けなくなる」

そもそも門をふさげば平和になるなど幻想である。しばらくは平和を維持できるだろうが、人類が緩やかに衰退していくのは間違いない。城郭都市である以上、外に向かわねばジリ貧《ひん》は免れなかった。

「今やらないと取り返しがつかなくなるぞ」

「分かっている」

「結果さえ出せば解散を撤回させることもできるはずだ」

「分かっているさ」

「だったら……」

アンヘルは食い下がるが、ホルヘは口をつぐんで思案に沈む。彼が王政府の決定に納得していないのは明らかだが、兵団としての柵《しがらみ》が枷《かせ》となり決断を躊躇《ためら》わせているのだろう。

ホルヘの苦しい胸の内はアンヘルにも理解できるが、彼が決断するのを待っている余裕はない。調査兵団の解散が決定された以上、いつ門がふさがれてもおかしくはなかった。

「クソッ！」

アンヘルは吐き捨てると、ホルヘとカスパルに背を向ける。

「どうするよ」

「遠征の準備をする」

「おめえだけじゃ無理に決まってんだろ?」

「無理だろうがなんだろうが、俺《おれ》は行く」

アンヘルは断言すると工房長室をあとにした。

×　×　×

啖呵《たんか》を切ったのはいいが、カスパルが指摘したとおり、アンヘルだけでは遠征は実現できない。『ウォール・マリア』の正門を開けるには、最低でも協力者が一人は必要である。そしてそれが頼めるのは壁の番人である駐屯兵団のマリアをおいて他《ほか》にいなかった。

アンヘルは兵の宿舎に足を運んでいた。そこは起居を目的とした三階建ての施設で、シガンシナ区に住む兵の大半がこの宿舎で寝起きをしている。マリアの部屋もそこにあった。

「で、あなたが死ぬのを黙って見ていろと?」

事情を説明したとたん、マリアはあからさまな難色を示した。

「調査兵団が同行しないのに、協力なんかできるわけないでしょう?」

「今しかないんだ。やらないと、きっと後悔する」

《装置》を使って巨人を倒し、殺された仲間の敵を取ること――。

そんな絶好の機会を、みすみす諦《あきら》めるなどできはしなかった。

「隊長の気が変わるまで待ってみたら？」

時間さえあれば、マリアの提案を受《う》け容《い》れることもできただろう。ホルへも気持ちを整理し、遠征に行く踏ん切りがついたに違いない。だが今は一刻の猶予もなかった。即断即決し、後悔するのは後回しだ。門をふさがれては手の打ちようがなくなる。

「閉鎖って言っても今日明日じゃないでしょう？　上からはそんな通達もないし」

「調査兵団の解散も突然だった。何が起きてもおかしくない」

「でも……」

マリアは不賛成の立場を変えなかった。おそらく結論ありきで話しているのだろう。それはアンヘルも同じである。つまり議論を重ねたところで平行線をたどるということだ。

「分かった。もういい」

アンヘルは会話を半ば強引に終了させた。

「やっぱり少し待ってみるのが正解だと思う」

アンヘルを説得できたと思ったのか、マリアは安堵《あんど》の溜《た》め息《いき》をつく。

「俺《おれ》は明日の朝、予定どおり遠征に行く」

「え⁉」

　マリアは目を大きく見開いた。

「でも私がいなければ門は……」

「門を使わなくても壁外へは行ける」

《装置》を昇降機の代わりにすれば『ウォール・マリア』を越えるのは難しくはない。困るとしたら足となる馬がないことだろう。

「……仕方がない、か」

　マリアは深い溜《た》め息《いき》をついた。

「予定どおり、門を開ければいいのね？」

「いいのか⁉」

「いいわけないじゃない！」

　マリアは即座に切り返す。

「駄目って言っても行くっていうんだから、手伝うしかないでしょう？」

「そうか。悪かったな」

「調子いいんだから」

　マリアは肩をすくめてみせた。

「じゃあ明日、予定どおりに頼む」

「無茶《むちゃ》だけはしないでね」

「分かってる」

「約束できる？」

「ああ」

「嘘《うそ》つき」

マリアは言い切ると、アンヘルの体を力強く抱きしめた。

「巨人なんか倒せなくてもいい。でも、必ず帰ってきて」

それはマリアの本音だろう。巨人への憎しみよりも、これ以上、誰《だれ》も失いたくないという思いのほうが強いのかもしれない。それはアンヘルとて同じことだ。

「約束だ」

アンヘルは断言した。

×　×　×

彼《か》は誰時《たれどき》とはよく言ったもので、日の出前の薄明かりでは相手の顔は判然としなかった。文字通り彼は誰《だれ》かと訊《たず》ねるほどの暗さだが、それでも隣にいるのがゼノフォンだと判断できたのは、今しがた一緒に工房を出てきたからである。

「準備は万端ですか？」

「《装置》もあるし、おまえが作った短刀もある。爆薬もたんまり用意した。問題ない」

アンヘルは淡々と答えて馬にまたがった。

「緊張はしていないようですね」

「してるさ。怖くて仕方がない」

これから単身で壁外に向かい、巨人を倒そうというのだ。本来であれば体は震え、頭の中は真っ白になっていてもおかしくはない。だがあまりにも非現実的すぎて感覚が麻痺《まひ》していた。おかげで必要以上に体が硬くならずにすんだというわけだ。

「お供したいところではあるのですが、あいにくと勇気がありません。申し訳ない」

「弱さを認めるのも勇気がいるだろ？」

「そう言っていただけると助かります」

ゼノフォンは恐縮するが、一人で遠征に行くのを勇気とは言わないだろう。

勇気と無謀を履き違えているのはアンヘルも承知していたが、なんとかなるという自信があった。根拠を求められると厳しいが、巨人を倒すための条件はそろっている。倒せない理由が見つからないというのが根拠と言えるかもしれない。

「別れの挨拶《あいさつ》は必要ありませんね」

「当たり前だ。どうせすぐに戻ってくるんだからな」

「では、ご武運を」

アンヘルは頷《うなず》くと、ゆっくりと馬を前に進めていく。

街も人も深い眠りについており、正門へと続く大通りも今は人っ子一人いない。あたりは不気味なほど静まり返っており、聞こえてくるのは馬の足音と呼吸音だけである。あと一時間もすれば街は目覚め、大通りもいつもの賑《にぎ》わいを取り戻すはずだ。

(それどころか大騒ぎになるかもしれない)

なんの予告もなく正門が開かれるのだから、理由を知らされていない住人が混乱するのは必至だ。彼らは思い出すだろう。巨人が街に乱入したあの事件を。もっとも門が開いているのは数十秒ほどであり、しかも今は早朝である。それを目撃する者は少ないはずだ。

徐々に正門が近づいてきた。壁上の櫓《やぐら》ではマリアが開門の用意をしているはずである。だしぬけに緊張感が増すが、先の遠征とは異なり取り乱すことはない。念入りに準備を整え、可能な限り不安要素を取り除いているのだから、事務作業をこなすように巨人を処理するだけである。確かに無理、無茶《むちゃ》、無謀の三拍子がそろったきわめて困難な任務ではあるが、けっして不可能ではなかった。

「これで悪夢ともおさらばだ」

アンヘルは信号拳銃《けんじゆう》を手にすると、銃口を頭上に向けて引き金《トリガー》を引いた。上空で『白星』が炸裂《さくれつ》し、夜明けを告げるかのようなまばゆい光があたりを満たしていく。

「一足《ひとあし》早い日の出だな」

頭上の『白星』から視線を外し、前方へと目を移したときだ。一騎の騎兵が忽然《こつぜん》と姿を現した。と言うよりも、暗くて見えなかっただけで最初からそこにいたのだろう。

「有言実行、というわけか」

「止めに来たのか？」

アンヘルは身構えると、前方で悠然と構える騎兵――ホルヘを凝視する。

「そのつもりなら、君は今ごろ地面で伸びていると思うが」

「じゃあ、何しにここに？」

「微力ながら手伝わせてもらおうと思ってね。こうして皆で集まったというわけだ」

アンヘルが困惑していると、背後から馬の足音がどっと押し寄せてきた。

「調査兵団……。いいのか⁉」

「その表現は正しくない」

ホルヘは身につけている外套《マント》の背部をアンヘルに示した。

「紋章《エンブレム》が……」

外套《がいとう》には調査兵団の一員であることを示す翼の紋章が見当たらず、その布地には解《ほっ》れた跡が見て取れた。自らの手で紋章を外したのだろう。

「どいつもこいつも大馬鹿野郎《おおばかやろう》だ」

アンヘルが嘆息したのと同時に、壁外へと続く門が轟音《ごうおん》とともに開き始める。

それに驚いたのか、街のあちらこちらで一斉に鳥が飛び立った。

「よし、行くか！」

アンヘルは先陣を切って馬を走らせ、少し遅れてホルへと兵がそれに続く。

見る間に門が迫る中、アンヘルはふと思い出したように振り仰いだ。見張り台には曙光《しょこう》を浴びたマリアの姿が確認できた。神々しいその姿にアンヘルは目を細める。

荒涼とした大地から埃《ほこり》を孕《はら》んだ一陣の風が押し寄せてきた。引き返せと言わんばかりだが、その程度の妨害で怯《ひる》むことはない。

アンヘルは気合を入れると、砂塵《さじん》に煙る大地を駆け出した。

×　×　×

巨人の討伐という過去に例を見ない目的で壁外に進出したアンヘルたちだが、一時間が経過した今もその姿を確認できずにいた。狩られる側になったことを察知し、示し合わせて逃げ出したとしか思えない状況だ。勇んで外地へとやって来ただけに拍子抜けの感が否めないが、緊張の糸は切れていない。壁外にいる限り何が起きても不思議ではなかった。

アンヘルたちは現在、シガンシナ区から五キロほど南下した場所で待機中である。偵察に出た一班からの連絡はまだないが、じきに巨人を見つけてくるだろう。

(たったの三班か……。ずいぶんと数を減らしたな)

一時期は八十名ほどが籍を置いていた調査兵団も、今や三十名ほどである。それを三班に分け、それぞれの班をホルへと二名の副長で指揮を執るという心許《こころもと》ない体制だ。もともと少数精鋭だが、調査兵団という組織を維持できる人数ではなかった。

アンヘルは一班が消えた南方を注視した。

巨人の討伐が目的とはいえ、長時間の滞在は何かと都合が悪い。街から五キロという近場で待機していたのは、より有利な場所で巨人と戦うためだ。五キロであれば万が一の事態にも対処しやすく、退却もスムーズに行える。大砲の射程内にも速やかに入れるので巨人を追い払うことも可能だ。

（もっとも、撃ってくれたらの話だよな）

規則を無視して勝手に出て行ったのだから、アンヘルたちを助ける義理はないだろう。

「たいした胆力《たんりょく》だな」

そう言って近づいてきたのはホルヘだ。

「いっそ兵団に入ってみてはどうだろう」

「冗談じゃない。危ない橋を渡るのは、これっきりだ」

「意外に向いていると思うんだがな」

本気でそう思っているのか、ホルヘの口調には落胆の色がうかがえた。

「この先には海ってやつがあるらしい」

アンヘルは南を指差した。

「海とは？」

「俺《おれ》もよくは知らない。ただ世界の大半は海と呼ばれる水に覆われているそうだ」

「物知りだな」

「ソルムがな」

ホルへは納得した。

「兵になるつもりはないが、海とやらを見に壁外《ここ》には戻ってきたい」

海が存在するかは不明だが、確かめに行く価値はある。それはソルムの墓前で語る最高の土産話になるだろう。

「だから調査兵団《あんたら》には踏ん張ってもらわないとな」

「努力しよう」

ホルへが神妙な顔で応じたとき、南の空に朱色の狼煙《のろし》が上がった。『赤星』だ。

「見つけたようだな」

ホルへは双眼鏡を取り出すと、南の空を確認している。

やや間を置いて『赤星』一発と無数の『黄星』が上空に打ち上がった。

「十メートル超級の大物が来るようだ」

ホルへが差し出した双眼鏡を覗《のぞ》きこむと、長身痩躯《そうく》の青年の姿が薄ぼんやりと確認できる。巨人はみるみる迫り、おぼろげだった輪郭も徐々にくっきりとしてきた。見た目は十代半ばの優男だ。何か不満でもあるのか、巨人の顔には憤怒の表情が張《は》りついている。

前方から一班のものとおぼしい馬煙が見えてきた。その背後には地鳴りを引き連れて突撃してくる人の形をした怪物が確認できる。距離にして五百メートルほど離れているが、それでも巨人は目視可能だ。巨人《マンモン》も尋常ではない大きさだったが、前方から津波のごとく押し寄せてくる巨人はその三割増しである。巨人の中でも極大に位置する大物だった。

「戦闘準備！」

ホルへの号令と同時に、兵はおのおの得物を手に戦闘体勢を整える。

巨人との距離は残り三百メートル。その姿は何度も目撃していたが、十メートル超級という巨大な化け物が押し寄せてくる様はまさに災害そのものだ。その圧倒的な存在感には畏敬《いけい》の念を抱かざるをえないが、人間にはそれを撥《は》ね除《の》ける知恵と勇気がある。襲いかかる脅威に対し、手をこまねくばかりではなかった。

巨人が一班《エサ》を求めて猛然と駆けてくる。それが大地を踏みしめるたびに地鳴りが起こり、足元から振動が這《は》い上《あ》がってきた。

一班が合流するのと同時に鶴翼《かくよく》の陣を敷いて迎撃へと移行する。

「撃《て》ーっ！」

ホルへの合図で騎兵銃が一斉に火を噴いた。弾丸は巨人の肩を抉《えぐ》り、胸に穴を穿《うが》ち、頭部の一部を破壊する。だが巨人の表情は変わらず、うめくこともなければよろめいたりもしない。傷口は早くも瘡蓋《かさぶた》のような膜で覆われており、あれよあれよという間に治癒していく。それでも巨人は何歩か進んだのちに足を止めた。それを確認するやホルへは陣の両翼を閉じて方円の陣形を敷くと、巨人を円の中に閉じこめていく。何名かの兵が短刀を手に切りこんだ。

「私たちが巨人を足止めする。君は巨人の首を取れ」

「……分かった」

応じるアンヘルの表情は厳しい。

調査兵団がお膳立《ぜんだ》てしてくれるとはいえ、ぶっつけ本番で巨人に立ち向かわなければならないのだから自然と体はこわばってくる。

「この日のために努力を重ねてきたのだろう？　落ち着いていけば問題はない」

「ああ……。そうだな」

アンヘルは深呼吸をして気持ちを鎮めると、目を大きく見開いて戦況を確認する。兵は巨人の足元をちょこまかと動きながら執拗《しつよう》に足を攻撃していた。巨人にとっては痛くも痒《かゆ》くもないだろうが、傷つけることで一時的にせよ身体機能を奪うことが可能だ。

「よしっ！」

アンヘルは覚悟を決めて騎兵銃を手にすると、銃口を巨人に向けた。照星《フロントサイト》を巨人の眉間《みけん》に合わせて引き金《トリガー》を引く。銃口から弾丸が射出され、その反動で銃身《バレル》が微《かす》かに跳ねた。弾は迷うことなく巨人の眉間にめりこみ、天でも仰《の》ぐかのように頭を仰《の》け反《ぞ》らせる。

アンヘルは銃を放《ほう》り投《な》げると、左手に操作装置、右手に短刀を握りしめ、射出口を巨人の喉元《のどもと》に向けてレバーを入れた。腰に取りつけた《装置》の本体が唸《うな》りを上げ、アンカーが勢いよく飛び出していく。風の影響で軌道は微妙に変化し、アンカーは狙《ねら》いを外れて巨人の胸部に食いこんだ。イメージトレーニングのようにはいかないが、誤差の範囲内だ。

（ソルム、コリーナ――）

アンヘルは二人を思って心を決めると、

「行くぞ！」

馬の鞍《くら》に足をかけて跳び上がった。そしてすぐさま巨人を見据えてレバーを操作する。ノズルから勢いよくガスが噴き出し、《装置》がワイヤーを巻き取り始めた。アンヘルの体は矢のような速度で巨人の胸元に飛んでいく。

《装置》は瞬間的に人を重力という名の軛《くびき》から解放するが、ありえない動きを実現する代償は大きい。失神しかねないほどの圧力が体にのしかかり、アンヘルの顔が苦悶《くもん》の表情を形作る。少しでも気を緩めれば大惨事は免れないが、アンヘルは歯を食いしばって加圧に耐えると、レバーを微調整して速度を緩め、巨人の胸部に軟着陸した。

アンヘルの動きは止まらない。アンカーを回収し、巨人の鎖骨に手を伸ばして体を引き上げると、すぐさま短刀で喉《のど》を切りつけた。アンヘルに首を刎《は》ねるほどの力はないが、それでも短刀の切れ味は鋭く、傷の深さは二十センチほどもある。急所であれば十分な一撃だが、巨人相手にやりすぎはない。アンヘルは短刀を巨人の喉仏《のどぼとけ》に突き刺した。切っ先が骨に到達したのか、金属にも似た硬い手応《てごた》えが掌《てのひら》に伝わってくる。純度の問題か、それとも鍛え方が甘かったのか、刀身にうっすらと亀裂《きれつ》が生じた。

「どうだっ！」

アンヘルは巨人を睨《にら》みつけた。巨人の傷口から蒸気が噴き出し、アンヘルは逃げる間もなくそれに飲みこまれてしまう。

「熱《あっ》っ」

あまりの熱さにアンヘルは身もだえをする。ほとんど蒸気浴《サウナ》で、あまりの熱気に呼吸すらままならないほどである。

噴きつける蒸気に顔をしかめたとき、アンヘルは上を向いていた巨人と目が合った。

「なっ」

アンヘルは目を瞠《みは》る。黒々とした巨人の瞳《ひとみ》は生命力で満ちており、消えゆく者の儚《はかな》さは少しも感じられない。そこには意思の力が宿っていた。人間《アンヘル》を食いたいという欲望の力が。

（どうなってる……）

あれこれと思案する間もなく巨人の手が喉元《のどもと》へと伸びてきた。

アンヘルは短刀を引き抜くと、足元にアンカーを打ちこみ、ワイヤーを伸ばしつつ懸垂下降の要領で地上へと降りていく。

（手応《てごた》えはあった。完璧《かんぺき》に急所を捉えたはずだ）

アンヘルは混乱しながらも頭をフル回転させる。

（それでも倒せないってことは……）

結論は一つだ。

（急所は喉元じゃない？）

地上まで残り三メートルというところで巨人の腕がワイヤーに引っかかり、体が大きく横に振られた。その弾みでアンカーが外れ、アンヘルは宙を舞っていく。

（クソッ！）

アンヘルは胸中で毒づいた。

アンカーを回収し、巨人、もしくは別の目標に移動する——。

一連の動作が脳裏をよぎるが、対応する余裕もなければ反射神経もない。短刀の代わりにもう一つの操作装置を握っていれば可能性もあったが、それはホルダーに収まっている。

（操作装置は両手で持ってこそ意味があったってことか）

それに気づいたとき、アンヘルは地上に激突した。

馬に撥《は》ねられたかのような激しい衝撃が全身を貫き、意識が急速に遠ざかっていく。

「アンヘル！　起きろっ‼」

ホルへの一喝でアンヘルは飛び起きるが、そのとたん、全身の骨が粉微塵《こなみじん》に砕けるかのような激しい痛みが襲ってきた。

「ぐぐっ……」

アンヘルはうずくまって痛みをこらえる。

最悪な状況ではあるが、どうやら骨折だけは免れたようだ。落下時の高さが三メートルほどだったため、体を強打した程度ですんだのだろう。それでも骨に罅《ひび》くらいは入っているだろうが、動けなくなるほどではない。

(操作装置と武器の両立が課題だな……)

アンヘルは強引に笑うと、短刀を杖《つえ》の代わりにして起き上がった。体に走った激痛で悲鳴を上げそうになるが、ぐっとこらえる。

あたりに目を配ると、すぐに自分の状況が確認できた。アンヘルは方円の陣の内側、すなわち巨人の足元に倒れていたのである。踏まれずにすんだのは運がよかったわけではなく、兵が巨人の足を攻撃し続けていたおかげである。他《ほか》の兵は騎兵銃で巨人の上半身に弾雨を降らせていた。巨人の手がアンヘルに伸びなかった理由である。

(なんで倒せなかった?)

アンヘルは巨人を見上げると、今一度、情報について精査する。

(巨人は倒せる。それは間違いない)

だが急所を攻撃したにもかかわらず巨人は今も立ち続けている。

(つまり喉《のど》は急所じゃなかったってことだ)

しかし、その付近にあるのは間違いない。

(あのときソルムはどうしていた?)

それは思い返すのも躊躇《ためら》われるほどの忌まわしい記憶だが、アンヘルはあえてそれを掘り起こしていく。ソルムは皆を逃がすため、投擲《とうてき》弾を手にわざと捕まって自爆していた。爆弾を投げるだけでは足止めにはならないと判断したのだろう。より確実に相手の動きを御するため首筋に張《は》りつき、その頭を吹き飛ばしたというわけだ。身体の一部が欠損しても巨人が死ぬことはないが、そこが復元するまでは行動に制限が出る。今アンヘルが踏まれずにすんでいるのも、兵が巨人の身体機能を奪っているおかげだ。

(でも頭を吹き飛ばしても巨人は死ななかった)

つまり頭部は巨人の行動を制限するだけで急所ではないということだ。

(残された場所は、ただ一つ)

アンヘルは巨人の首筋へと目を向けるが、あまりにも近すぎて目視はかなわない。

思い返してみると、ソルムは初めから首筋《そこ》にしがみついて自爆していた。巨人の生態調査を行ったときも、その部分だけは破壊を免れている。脳味噌《のうみそ》をまき散らすような凄惨《せいさん》な光景に目を奪われていたが、そのせいで肝心な部分を見落としたようだ。

めった打ちにされたことで堪忍袋の緒でも切れたのか、巨人は地団駄を踏むかのように地面を踏みつけた。足元が鳴動し、とても立ってはいられない。砲撃でも直撃したかのような衝撃である。それに驚いたのか馬が暴れ、陣形に乱れが生じた。

「アンヘル、戻れ！　退却するぞ‼」

風向きが悪くなったと判断したのかホルヘが叫ぶ。だがアンヘルには好機だった。

アンヘルは短刀を鞘《さや》に戻し、操作装置を左右の手に所持すると、その調子を確かめていく。故障はないようだ。燃料《ガス》も残っている。それを確認するや左の操作装置を巨人に向けると、腹部にアンカーを打ちこんで体を一気に引き上げた。さらに右の操作装置で胸部を狙《ねら》う。左右の操作装置を連係させることで巨人の目線まで舞い上がるが、問題はいかに背部に回りこむかである。

（縦軸の移動だけじゃ駄目だ。もっと立体的な動きを実現しないと）

今回の戦闘で《装置》の改良点がいくつも判明したが、今はそれにかまけている場合ではない。このままでは急所へとたどり着く前に巨人に捕まってしまうだろう。だが両手は操作装置で塞《ふさ》がっていたため、攻撃することもかなわなかった。

（だったら操作装置《こいつ》で――）

アンヘルは巨人の右目にアンカーを打ちこみ、体を安定させたところで左目にもそれをお見舞いする。視力を奪えば、さすがの巨人もすぐには動けないはずだ。

しかし目を潰《つぶ》された巨人はそれを不自由に感じたのか、子供がいやいやをするかのように顔を左右に振った。それに合わせてアンヘルの体も円を描くように大きく振られてしまう。遠心力でアンカーが抜けそうだったが、その動きはアンヘルに味方をした。《装置》に欠けていた横軸の動きを実現することで巨人の背部へと回りこんでいたからだ。アンヘルは即座にワイヤーを巻き取って巨人の首筋に取りつくと、鞘から短刀を引き抜いた。

「終わりだ！」

アンヘルは渾身《こんしん》の力で巨人の首筋に刃を食いこませる。だがその一撃に脆《もろ》くなった刀身は耐えられず、甲高い音を奏でながら真っ二つに折れてしまった。

「こんなときに……」

アンヘルは舌打ちするが、まだ手は残されている。携帯している投擲《とうてき》弾を爆破すれば、それなりの破壊力が期待できるはずだ。つまりソルムと同じ方法だが、自爆するつもりはない。問題は相手は十メートル超級の化け物であり、爆薬の量が足りていないことだ。信号弾を同時に起爆させても威力はたかが知れている。だが爆薬など他《ほか》にはなかった。

（駄目元で試すしかない）

操作装置に手を伸ばしたとき、アンヘルははたと気がついた。

（爆発物ならあるじゃないか）

腰の左右に提げているボンベである。その中にはガスがたんまりと詰められており、投《とう》擲《てき》弾を爆発させるついでに引火させせれば、十分な威力が得られるはずだ。《装置》の燃料を失うことになるが、ワイヤーは手動でも伸ばすことができる。それができれば十分だ。

アンヘルは左右のガスボンベを取り外すと、それを傷口に差しこんでガスを放出させる。ついで腰に提げた投擲《とうてき》弾を手にすると、安全ピンを抜いてそれを放《ほう》り投《な》げた。あとは爆発に巻きこまれないように飛び降りるだけだ。アンヘルは操作装置を手にすると、巨人の体を蹴《け》って宙にダイブした。

次の瞬間――。

カッとまばゆい閃光《せんこう》を放ちながら投擲弾が爆発し、ついでボンベが立て続けに誘爆する。首筋が爆《は》ぜ、四方八方に肉片や骨片、体液が散乱するのと同時に、赤黒い炎が巨人の頭部を飲みこんでいく。

ひとまずは狙《ねら》いどおりだが、近距離で投擲弾とガスが爆発したのだから次は我が身だ。衝撃波とともに熱風が押し寄せてくる。だが防御する間もなければ手段もなかった。衝撃をもろに浴びたアンヘルの意識は揺らぐ。押し寄せる熱風が体毛を焦がしているのか、体のあちらこちらからチリチリと焼ける音が聞こえてきた。日焼けでもしたかのような刺激が剝《む》き出《だ》しの皮膚から伝わってくるが、アンヘルはかまうことなく巨人を見つめ続ける。

爆発の影響か、それとも自らが放った熱量のためか、巨人の周囲は陽炎《かげろう》のようにゆらゆらと揺らめいていた。やがてそれは靄《もや》へと変わり、巨人の体を覆い始める。

「巨人が……消えていく……」

それに気づいたとき、アンヘルは浮遊感を覚えた。巨人の存在が不安定になることで、打ちこんでいたアンカーが外れたのだろう。アンヘルの体は地上へと引っ張られていく。

「ほらみろ、やっぱり巨人は殺せる……」

アンヘルはニヤリと笑った。

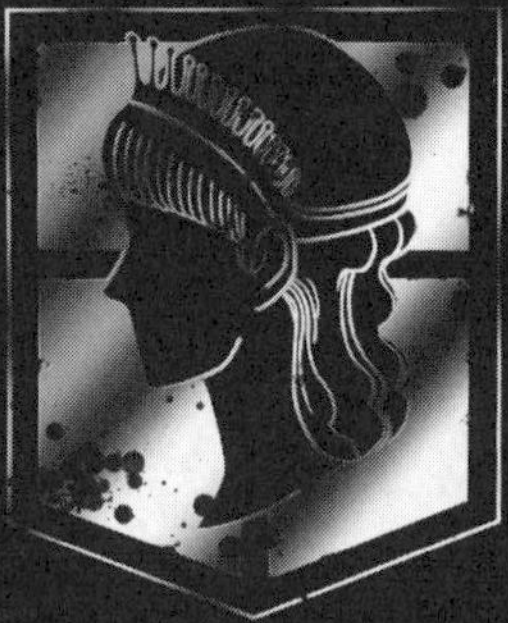

エピローグ

激痛が体を貫いた。

深い眠りの淵《ふち》を彷徨《さまよ》っていたアンヘルは、一気に現実へ連れ戻されていく。

頭のてっぺんから爪先《つまさき》までまんべんなく痛むせいか、指を動かすことすら億劫《おっくう》に感じられる。体を動かすなどもってのほかで、瞼《まぶた》を開いて状況を確認する気力もなかった。

「起きたか？」

聞き覚えのある男の声が聞こえてくる。

「ホルヘか……」

「どうやら生きているようだな」

「どうにか生きてる」

アンヘルは減らず口を叩《たた》くが、言葉を紡ぐたびに苦痛で顔が歪《ゆが》む。

「じきに街に着く。乗り心地は悪いだろうが我慢しろ」

どうやらホルヘが騎乗する馬にくくりつけられているらしく、アンヘルの体はその動きに合わせて上下《リズミカル》に揺れている。

「俺《おれ》は……。どうなったんだ？」

「覚えてないのか？」

「巨人を爆破したのは覚えてる」

見届ける前に意識を失ってしまったが、ホルヘと会話をしているからには予定どおり事が運んだのだろう。アンヘルが生き残れたのはめっけ物としか言いようがなかった。

「君は巨人が倒せることを証明した」

「急所は首筋だったけどな」

そのせいで死にかけたが、結果には満足している。

とは言え、多くの課題も残されていた。短刀の強度の問題、武器と操作装置の両立、そして《装置》の機動力だ。巨人が倒せることを証明したとはいえ課題は山積みである。

巨人の急所も絞りこまなければならない。倒せたことに満足せず、なぜ死んだのかという点にも踏みこむべきだろう。それには引き続き巨人の調査を行わなければならない。

《装置》を使った戦術の確立も必要だった。

最速かつ最短のルートで巨人の急所へとたどり着き、的確な一撃を加える――。

アンヘルのように手間取っていては命がいくつあっても足りない。《装置》の改良が大前提だが、皆がそれを使いこなせば巨人を狩ることもできるだろう。

「これから調査兵団は大変だろうな」

「ああ。イロイロとな」

巨人が倒せると証明したことで調査兵団の解散は撤回される公算が大きい。だがその一方で命令を無視して遠征を行っていた。兵はさておき隊長であるホルへは責任を取って隊長職を退かざるをえないはずだ。

「私にはやるべきことがある」

「と言うと？」

「次世代の育成だよ」

「訓練兵の指導とか？」

「必要だろう？」

「まあ、確かに」

調査兵団の数は激減している。訓練兵を指導し、調査兵団を立て直すことが、ホルへの第二の人生なのかもしれない。

だがホルへの考えはアンヘルとは微妙に異なった。

「君の戦いを見て、私たちの時代は終わったのだと確信した」

「俺《おれ》が引導を渡したみたいじゃないか……」

「事実、そのとおりだろう」

「少し大袈裟《おおげさ》じゃないか？」

ホルへの実力は折り紙つきであり、それは彼の部下も同様である。今後も十二分に活躍できるはずだし、してもらう必要があった。

「君が作ったあの機械によって、戦い方は激変するだろう。若い連中はさておき、私はいまさら戦い方を変えられない」

「だから一線を退く、か。潔いな」

アンヘルは素直に感心した。

「指導教官という選択肢は正解かもしれない」

次世代の兵を育てるとはいえ、心技体を鍛えることに変わりはない。その点、ホルへは完璧《かんぺき》である。訓練兵をびしばしとしごくホルへの姿が目に浮かぶようだ。巨人のすべてを知る彼が教官になれば、最高の兵が誕生するだろう。

「あの機械を使いこなすには、訓練兵のころから鍛えなければならない」

「その役をあんたが買って出ると？」

「よい考えだろう？」

「俺は早めに《装置》を改良しないとな」

だが一朝一夕にはいかないはずだ。山積みの課題を考えると頭が痛む。

「《装置》というのが正式名なのか？」

「便宜上というか、開発名《コードネーム》というか、試作品だったから名前は考えてなかった」

しかし《装置》の完成形が見えた以上、名前をつけたほうが何かと便利だろう。

「そうだな……」

アンヘルは一頻《ひとしき》り考えると、《装置》の特徴から名前を導き出していく。

「立体的な動きを実現する装置だから《立体機動装置》ってところか」

「なるほど、いいじゃないか」

「これから作るんだけどな」

アンヘルは苦笑すると、鉛のように重たくなった瞼《まぶた》を強引に持ち上げた。目には灼熱《しゃくねつ》感を伴う痛みがあり、涙が溢《あふ》れ出《で》てくる。全身くまなく負傷しているアンヘルだが、目も例外ではないようだ。視界は薄暗く、曇《くも》り硝子《ガラス》を通しているかのように判然としない。

（あのときか……）

巨人の最期を見届ける際に熱風で目を焼かれたのだろう。

（十分やったよな）

視力が戻るかは分からない。

だがアンヘルは充足感でいっぱいだった。

「英雄の御帰還《ごきかん》だ」

ホルヘが高らかに宣言をする。

正門が開かれる音が聞こえてきた。

了

あとがき

講談社さんにお呼ばれしたのが去年の夏だから、なんだかんだで一年半が経過したんだなぁ……と、あとがきを書きながら回想モードに入っております。

そういえばあのころはラノベ文庫の編集部も「ライトノベル研究部」だったりして、百戦錬磨の編集者を集めて今さら何を研究するんだと思ったものですが、無事に創刊できて何よりです、はい。


そんなわけで、涼風《すずかぜ》でございます。

はじめましての皆さま、はじめまして。そうではない皆さま、お久しぶりです。

『進撃の巨人 Before the fall』はいかがだったでしょうか?

担当氏に「何かやりたいことない?」と訊ねられ、『進撃の巨人』と話したのが一年半前のこと。あれから『進撃の巨人』を取り巻く状況は激変していますね。まさに、あれよあれよと言ったところでしょうか。

私自身が『進撃の巨人』を知ったのは、ツイッター上でのフォロワーさんのつぶやきでした。博多の某ゲームメーカーの偉い人が「『進撃の巨人』が面白い」とつぶやいていたので、んじゃ買ってこようかなと。

感想は言わずもがなですよね。「何がやりたい？」と問われて『進撃の巨人』と答えてしまうのも当然の流れかなと。それにほら、提案するだけならただですしね（笑）。内容的にノベライズに向いていたのも大きかったような気がします。

さて。『進撃の巨人 Before the fall』についてですが、サブタイトルのとおりです。以上。

……と、それだけではあんまりなので、ネタバレしない範囲で解説などを少し。

「Before the fall」というサブタイトルが示すとおり、原作より前の物語になっています。ウォール・マリアが陥落する前、というわけですね。

まだ立体機動装置が存在せず、戦術も確立していないという状況なので、人類にとってはまさに冬の時代。調査兵団にとって遠征は死出の旅に等しく、巨人は悪夢そのものといった感じです。私ならシガンシナ区ではなく内地であるトロスト区で暮らすと思いますが、それはさておき。

主人公であるアンヘルが武具の職人ということもあり、原作とは少し異なる視点で『進撃の巨人』という世界に触れられたのではないでしょうか。素材、加工法、施設など、だから＊＊は○○なんだ、などなど。

個人的に印象に残っているのは、作中で黒金竹《くろがねだけ》と呼ばれている竹でしょうか。どんな使われ方をしているのかは読んでいただくとして……。

子供の頃、竹を使って遊んでいたことを思い出しました。篠竹でチャンバラをしたり、竹とんぼや貯金箱を作ったり。もっとも貯金箱はすぐに壊してしまうわけですが、それなりに遊んだなぁと。さすがにタケノコは掘りませんでしたけどね。

せっかく作中に竹が出てくるのだから久々に竹藪《たけやぶ》が見たいと思ったのですが、さすがに近所にはありませんでした。……と思ったら、ジョギングコースに小規模ながら竹が生えている場所があり、こんな感じかしらと思いつつ原稿を書いたのでした。おかげで蚊に襲われまくりましたけど、巨人の襲撃に遭《あ》わなかっただけよしとします。

おっと、脱線してしまいました。

他にも触れておいたほうがよいアイテムなどもありますが、作中で確認していただければ。原作のアレはコレで、ノベライズのコレはアレになったとか、見比べたりできるのではないかなと。

つらつらと書き連ねてしまいましたが、注目していただきたいのはやはり立体機動装置でしょう。これがなければ『進撃の巨人』は始まらないだろうと。

もっともエレンとミカサが一介の職人でしかないアンヘルを知ることはないでしょうが、二人が活躍しているという事実だけで彼は満足に違いない。

さてさて。

余計なことを書きすぎたので行数に余裕がなくなってきました。忘れないうちに関係各位への謝辞を少々。

『進撃の巨人』という素晴らしい作品を世に送り出してくださった諫山《いさやま》さま、ノベライズの許可、ありがとうございました。

作品にイラストという形で花を添えてくださったTHORES柴本《しばもと》さま、ありがとうございます。今現在も挿絵を描かれている最中のようですが、がんばってください（こんなところで言うなと）。

作中の設定を用意してくださった小太刀《こだち》さま、三輪《みわ》さま、大いに役立ちました。ありがとうございます！

ラノベ文庫の難波江《なばえ》さま、藤田《ふじた》さま、引き続きよろしくお願いします。

本書を読んでくださった皆さま、大感謝です。感想等があれば編集部経由で送りつけるなりツイッターでつぶやくなりしていただければと。たぶんチェックしてます。私自身はあんまりつぶやいてませんが、気が向いたらフォローでもどうぞ（IDはsuzukazeRです）。

ではまた！


二〇一一／一〇／二六（木枯らし一号が吹いた日）涼風　涼

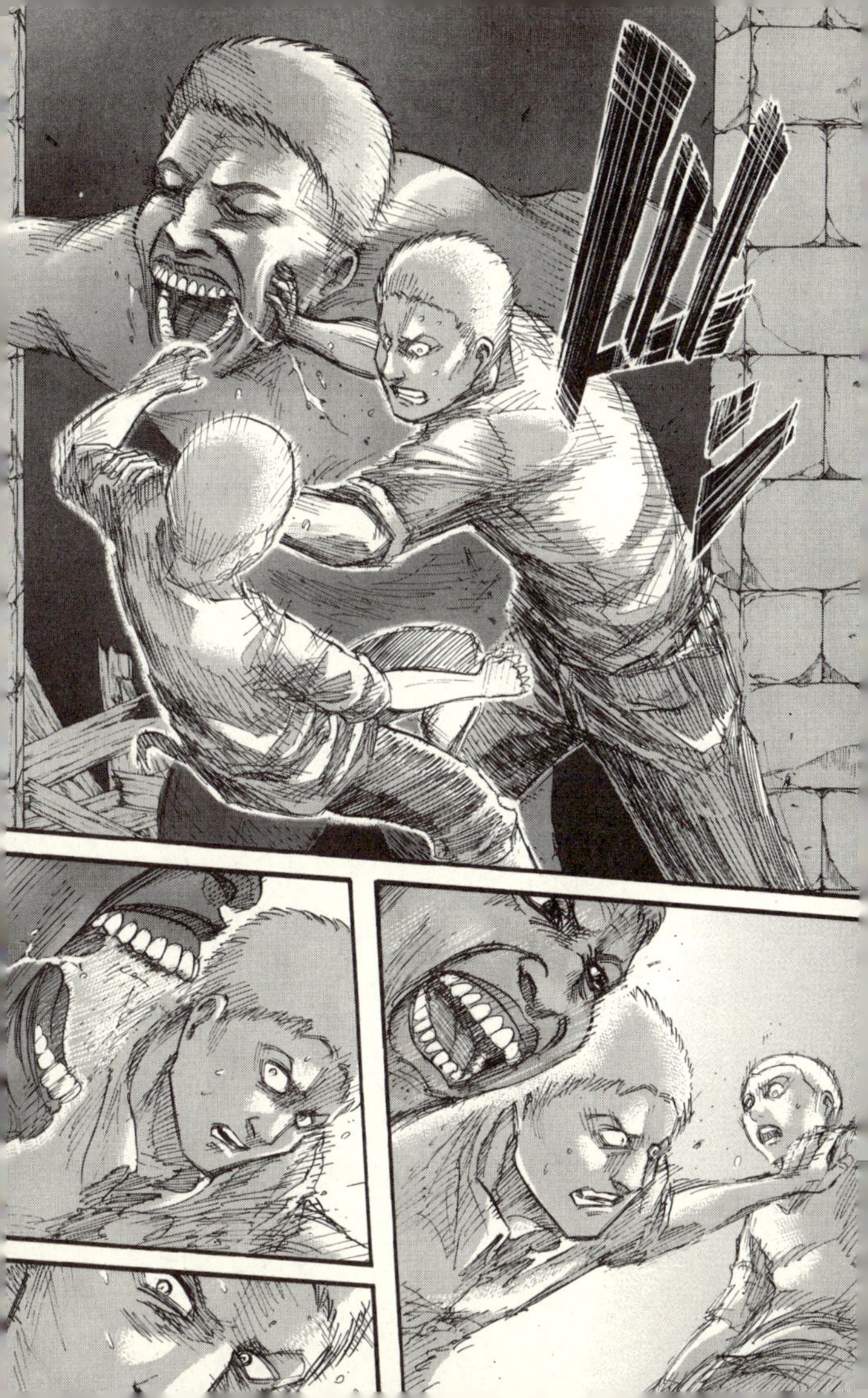

講談社ラノベ文庫

進撃《しんげき》の巨人《きょじん》
Before《ビフォー》 the《ザ》 fall《フォール》

原作：諫山《いさやま》 創《はじめ》

著：涼風《すずかぜ》 涼《りょう》

2011年12月 2 日第1刷発行
2013年 8 月19日第8刷発行

発行者	清水保雅
発行所	株式会社　講談社 〒112-8001 東京都文京区音羽2-12-21
電話	出版部　(03)5395-3715 販売部　(03)5395-3608 業務部　(03)5395-3603
デザイン	RedRooster
本文データ制作	講談社デジタル製作部
印刷所	豊国印刷株式会社
製本所	株式会社フォーネット社

ISBN978-4-06-375202-1　N.D.C.913　286p　15cm
定価はカバーに表示してあります

第3回「講談社ラノベチャレンジカップ」大募集!!

「講談社ラノベ文庫」では「第3回ラノベチャレンジカップ」を募集いたします。以下の規定をよくお読みのうえ是非ご応募ください。


【募集内容】

主な対象読者を10代中盤～20代前半の男性と想定したオリジナルの長編小説。ファンタジー、学園、ミステリー、恋愛、歴史、ホラーほかジャンルは問いません。

賞金 大賞100万円
優秀賞50万円 佳作10万円

【応募資格】

プロデビュー経験の無い方に限ります。


2次選考通過者全員を講談社ラノベ文庫編集部にお招きします!

（1作品につき原則1名、上限付きで往復交通費全額支給）


【応募規定】

日本語で書かれた未発表のオリジナル作品に限る（他の公募に応募中の作品は不可）。日本語の縦書きで、1ページ40文字×34行の書式で100～150枚。原稿は必ずワープロまたはパソコンでA4横使用の紙に出力してください（感熱紙への印刷、両面印刷は不可）。手書き原稿、フロッピーやCD-Rなど記録メディアでの応募は不可となります。

ラノベ文庫公式ホームページ（http://kc.kodansha.co.jp/ln）から専用エントリーシートをダウンロードし、そこに作品タイトル、郵便番号、住所、氏名（本名、ペンネーム使用の場合はペンネームも併記）、年齢、性別、電話番号、メールアドレス（ある方のみ・PC用推奨）、略歴・応募歴、原稿枚数を明記してください。
①エントリーシート／②作品タイトルとあらすじを書いた紙（あらすじは800字以内で書いてください）／③応募作品本体（必ず順番にページをふること）の順に重ねて、右上をダブルクリップで綴じて送ってください。

【選考委員】 竹井10日（作家）および講談社ラノベ文庫編集部

【あて先】
〒112-8001
東京都文京区音羽2-12-21
㈱講談社ラノベ文庫編集部
『第3回ラノベチャレンジカップ』係
［電話］03-5395-3715
［メールアドレス］k-ln@kodansha.co.jp

【締め切り】
2013年10月31日（当日消印有効）

【発表】

2014年発売の文庫挟み込みチラシとラノベ文庫公式ホームページにて発表予定。なお、審査についてのお問い合わせにはお答えできません。

［注意事項］
●複数応募可。ただし、1作品ずつ別送のこと。応募作品は返却しません。
●受賞作品の出版権等は株式会社講談社に帰属します。
●営利を目的とせず運営される個人のウェブサイトや同人誌等での作品掲載は、未発表と見なし応募を受け付けます（掲載したサイト名または同人誌名を明記のこと）。

詳細は講談社ラノベ文庫公式ホームページ **http://kc.kodansha.co.jp/ln** まで
※メールおよびホームページアドレス末尾の文字"ln"のlはアルファベット小文字のl（エル）です。